Michael Finkel

美術泥棒

The Art Thief

A True Story of
Love, Crime, and
a Dangerous Obsession

マイケル・フィンケル

古屋美登里 訳

AKISHOBO

コルネイユ・ド・リヨン
『マドレーヌ・ド・フランス』(1536)油彩／板
フランスのブロワにある「ファインアート美術館」から盗まれた

ジャン・バプティスト・イザベー
煙草容れ(1805)
金、エナメル、象牙
スイスのシオンにある「ヴァレー歴史博物館」から盗まれた

ゲオルク・ペーテル
『アダムとイヴ』(1627) 象牙
ベルギーのアントワープにある「ルーベンス・ハウス博物館」から盗まれた

ルーカス・クラナハ(子)
『クレーフェのジビレ』(約1540) 油彩／板
ドイツのバーデンバーデンのニューカースル城から盗まれた

ヤン・ファン・ケッセル(父)静物画
(1676) 油彩／銅版
オランダのマーストリヒトにある「ヨーロピアン・ファイン・アート・ファンデーション(TEFAF)」から盗まれた

ダフィット・テニールス（子）
『猿たちの祭り』（約1630）
油彩／銅版
フランスのシェルブールにある
「トマ・アンリ美術館」から盗まれた

ヤン・ブリューゲル（父）
『秋の寓話』（約1625）
油彩／銅版
フランスのアンジェにある
美術館から盗まれた

フランソワ・ブーシェ
『眠る羊飼い』（約1750）油彩／板
フランスのシャルトルにある美術館から
盗まれた

細部：バルト・ア・コルマール
フリントロック式拳銃（約1720）
銀細工の施された胡桃材
フランスのタンにある「タンの友人
たちの美術館」から盗まれた

ピーテル・コッデ『兵士と女性』
(約1640) 油彩／板
フランスのベルフォールにある
「シタデル美術館」から盗まれた

クリストフ・シュワルツ『ピエタ』
(約1550) 油彩／銅版
スイスのグリュイエール城から盗まれた

ウスタシュ・ル・シュウール『司教』
(約1640) 木炭／紙
フランスのベルフォールにある「シタデル美術館」から盗まれた

ウィレム・ファン・ミーリス『薬剤師』
(約1720) 油彩／板
スイスのバーゼルにある「ファーマシー美術館」から盗まれた

ピーテル・ジゼル
『村の入口』（約１６５０）油彩／銅版
フランスのヴァランスにある美術館から盗まれた

キリストの生涯の一場面
（約１６２０）菩提樹
スイスのフリブールにある「美術と歴史博物館」から盗まれた

アルブレヒト・デューラー
『大砲のある風景』（１５１８）紙に版画
スイスのトゥーンにある美術館から盗まれた

I・D・クルートヴィック
杯(1588)
銀とココナッツ

杯(1602) 銀と駝鳥の卵
左と右はベルギーのブリュッセルにある「美術と歴史博物館」から盗まれた

戦艦（約1700） 銀　ベルギーのブリュッセルにある「美術と歴史博物館」から盗まれた

アルバレロ（約1700） テラコッタ
スイスのメーリケン・ヴィルデックにあるヴィルデック城から盗まれた

記念メダル（約1845） 銀に金メッキ
スイスのルツェルンにある「歴史博物館」から盗まれた

ライオンと仔羊（約1650）樒
フランスのモワンムティエにある「モワンムティエ修道院」から盗まれた

ジェラール・ヴァン・オプスタル
『三美神』（約1650）象牙

杯（約1590）
銀に金メッキ、オウム貝の殻
右の二品はベルギーのブリュッセルにある「美術と歴史博物館」から盗まれた

ルイーズ・ド・コールリ
『公園の音楽家と散策者』（約1600）
油彩／板
フランスのバイユールにある「市立美術館」から盗まれた

美術泥棒

——父、ポール・アラン・フィンケルに捧ぐ

「美は倫理に勝る」

オスカー・ワイルド

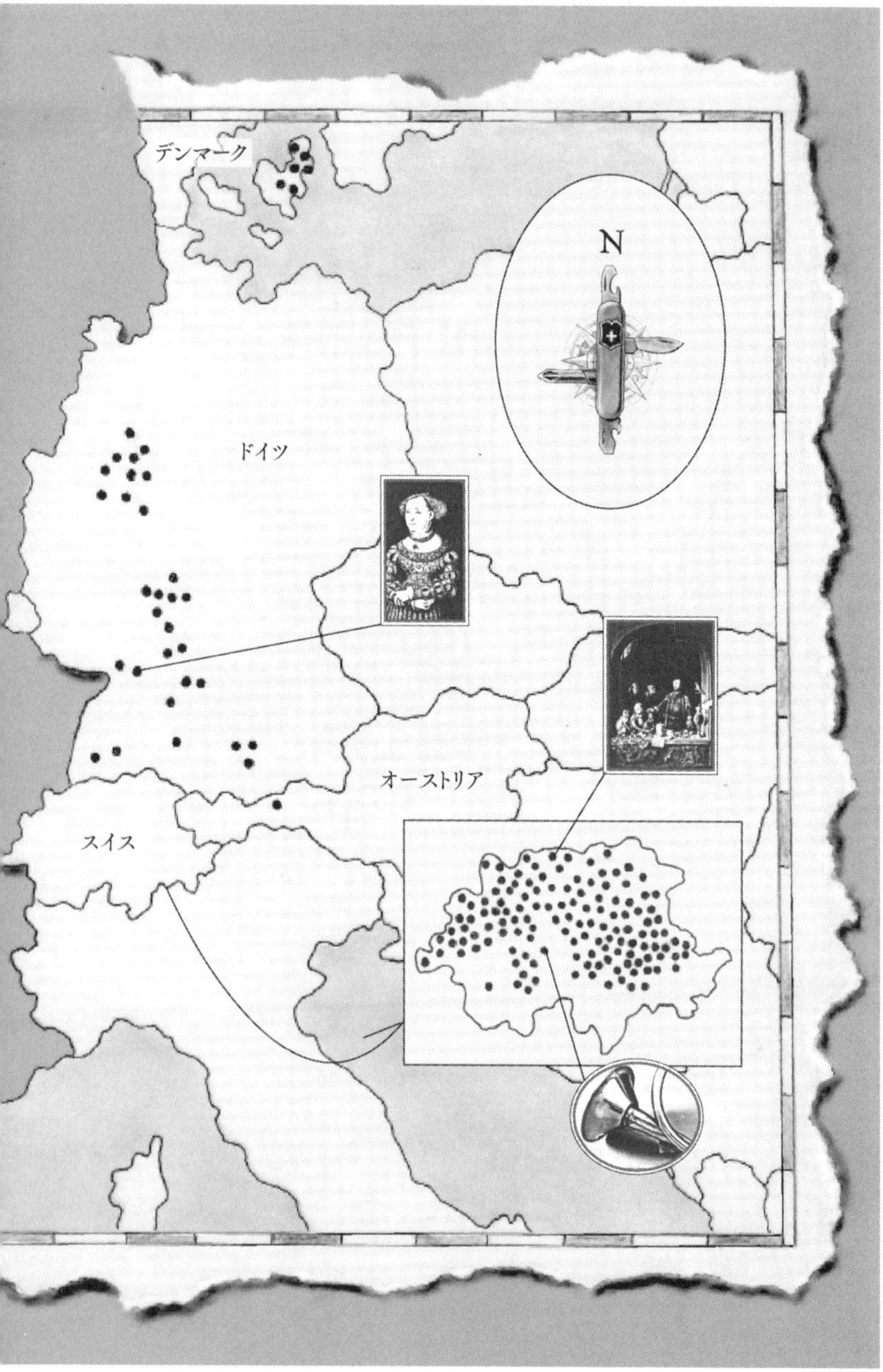
デンマーク
N
ドイツ
オーストリア
スイス

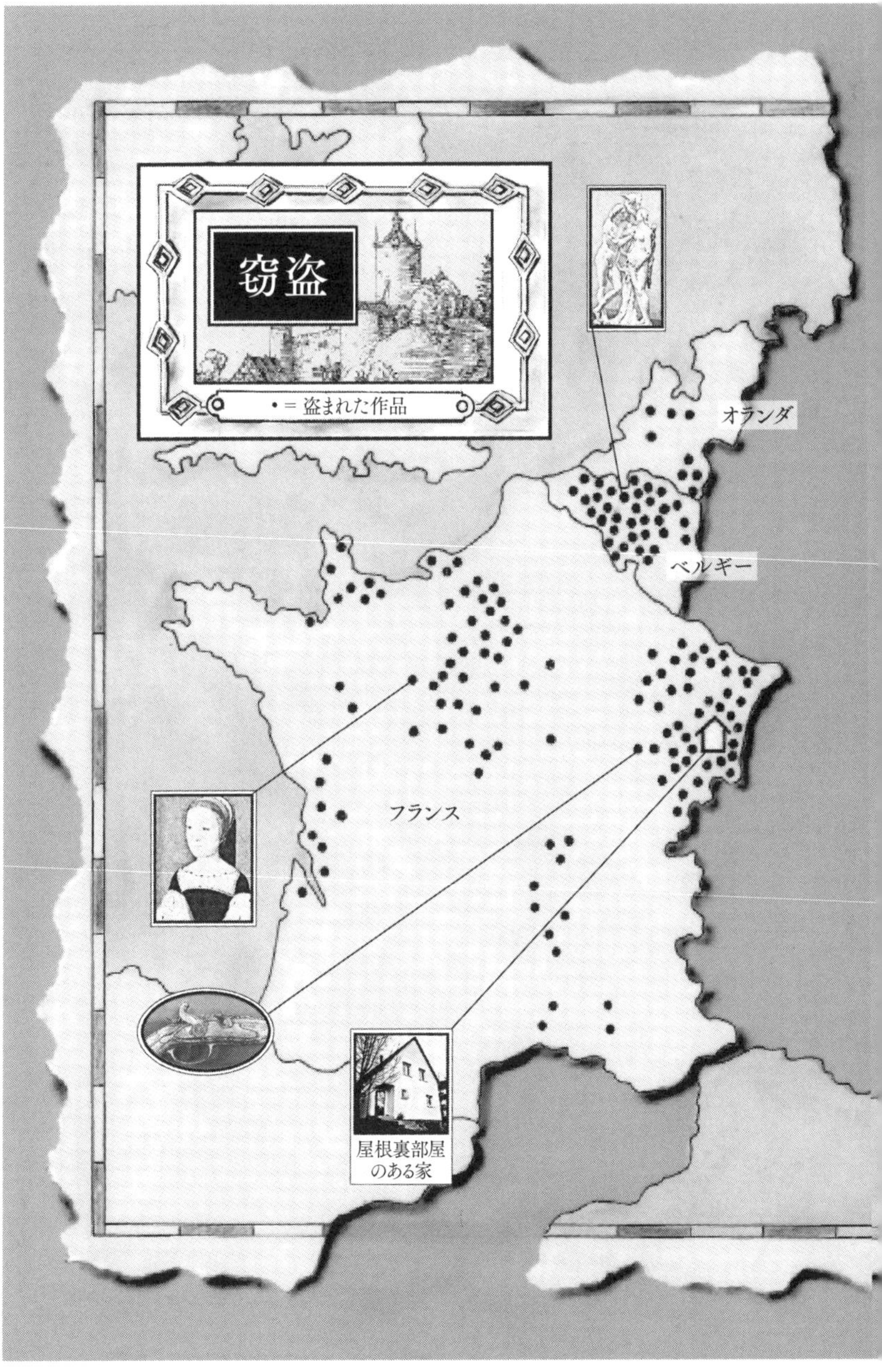

窃盗
• = 盗まれた作品
オランダ
ベルギー
フランス
屋根裏部屋
のある家

寝室

屋根裏
居間

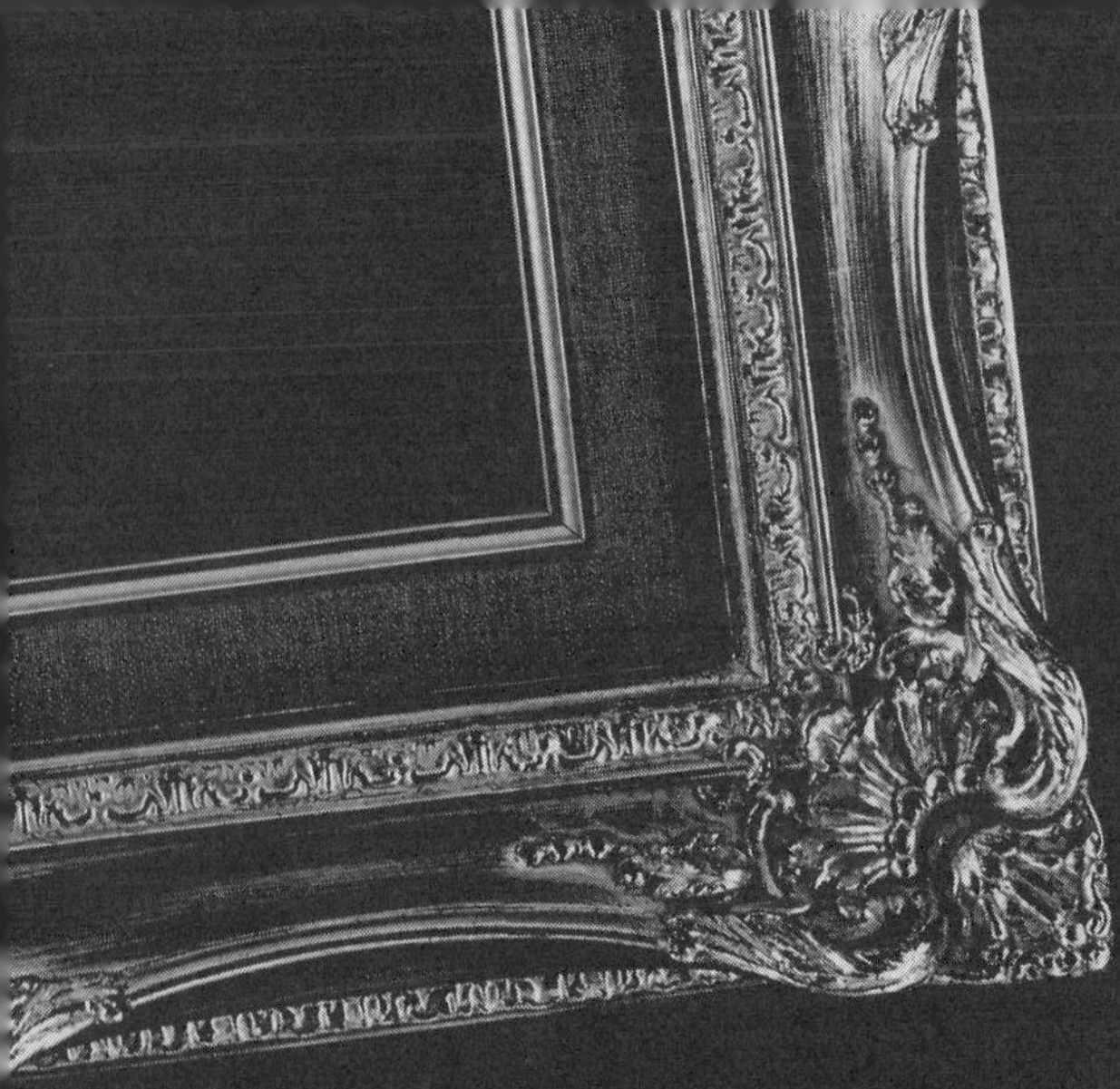

Contents

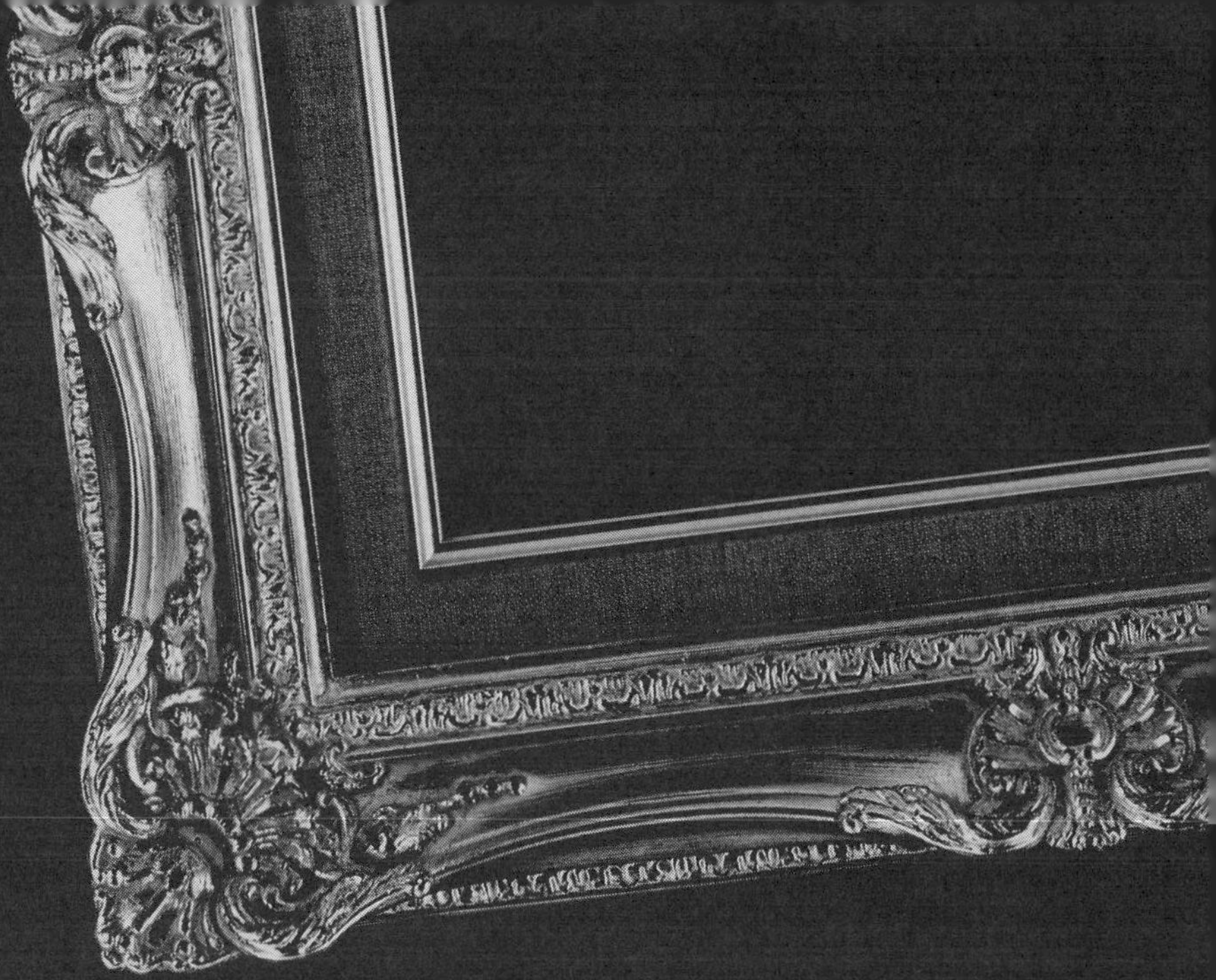

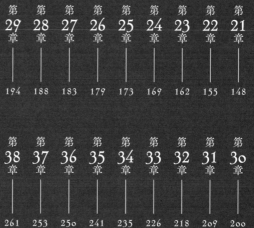

※本文中の〔　〕は訳者による注

第1章

美術品を物色するために博物館に向かっているステファヌ・ブライトヴィーザーは、恋人のアンヌ゠カトリーヌ・クラインクラウスと手を繋いでゆっくりと受付まで歩いていき、「やあ、こんにちは」と挨拶をする。愛らしいカップルだ。それからふたりは現金でチケットを二枚買って入館する。

　一九九七年二月、ベルギーのアントワープでは、忙《せわ》しない日曜日の昼食時が盗みの時間になる。このふたりは「ルーベンス・ハウス」という博物館の観光客のなかに紛れ込み、彫刻や油絵を指でさしたり頷いたりしている。アンヌ゠カトリーヌは古着屋で手に入れたシャネルとディオールの服を趣味よく着こなし、イヴ・サンローランの大きなバッグを肩にかけている。ブライトヴィーザーはボタンダウンのシャツをお洒落なスラックスのなかにたくし入れ、その上に少し大きめのコートを着て、ポケットにはスイス・アーミー・ナイフを忍ばせている。

「ルーベンス・ハウス」は瀟洒な博物館だが、かつては十七世紀のフランドルの画家ピーテル・パウル・ルーベンスの住居だった。居間や台所、食堂をふたりでゆっくりと見てまわりながら、ブライトヴィーザーは脇にある出入口の場所を覚え、警備員の動きをしっかり記憶に刻みつけている。いくつかの逃走ルートが頭のなかに描かれる。これから盗もうとしているものは、博物館の一階の奥の展示室にある。そこには真鍮のシャンデリアと背の高い窓があるが、作品を陽射しから守るために、窓の鎧戸は閉まっている。木製の華麗なドレッサーの上には、しっかりと底面に固定されたアクリル樹脂の展示ケースがある。ケース内に収められているのが、象牙の彫刻作品『アダムとイヴ』だ。

ブライトヴィーザーは数週間前に偵察がてら単独でここへ来たときにこの像を目にし、その魅力の虜になっていた。四百年前の彫刻だが、いまも内側が仄《ほの》明るく輝いているのは象牙ならではのことで、それが彼には崇高なものに思えた。以来、この彫刻のことが忘れられず、夢にまで出てくるようになり、それでとうとうアンヌ＝カトリーヌとともに「ルーベンス・ハウス」に舞い戻ってきたのだ。

ここの安全対策には大きなほころびがあった。先の偵察のときにアクリル樹脂のケースに欠点があることに彼は気づいていた。二本のネジを抜けば上部が底面から外せるのだ。もちろん厄介なネジで、ケースの後ろに手をまわすのは難しいが、ネジは二本だけだ。警備員の欠点とは、人間である、という点だ。人間は腹が減る。ブライトヴィーザーが観察したところでは、各展示室にひとりの警備員がいて、たいてい椅子に座って見張っている。ただし昼休みには警備員たちは交替で食事にいくので、残った者は椅子には座らずに、予想できる歩調で展示室を見まわっていく。

観光客の動きは予想がつかないので面倒だ。正午になっても大勢の来館者はぶらぶらと歩きまわって時間を過ごしている。人気があるのはルーベンスの油絵だが、大きな絵なので盗まれる心配はなく、ひどく陰気な宗教画なのでブライトヴィーザーの趣味に合わない。『アダムとイヴ』が置かれた部屋には、ルーベンスが生涯をかけて集めた美術品があり、ローマ時代の哲学者たちの大理石の胸像やヘラクレスのテラコッタの像、ドイツ人とイタリア人の絵画もたくさん展示されている。ゲオルク・ペーテルというドイツ人彫刻家が制作した『アダムとイヴ』の象牙の彫刻は、ルーベンスへ贈られたものらしい。

観光客の集団が入ってくると、ブライトヴィーザーは一枚の油絵の前に立ち止まり、絵を鑑賞しているふりをする。腰に両手を当てたり、腕を組んだり、顎《あご》に手を置いたりする。彼には鑑賞姿勢が十通り以上あって、心のなかでは興奮と恐怖が入り乱れていても、落ち着いて真剣に考えているように見える。アンヌ＝カトリーヌは展示室の戸口の付近から離れず、立ち止まったりベンチに座ったりして無頓着な様子だが、必ず廊下での動きがよく見えるところにいる。この展示室には防犯カメラが一台も備えられていない。カメラは博物館全体でわずかに点在している程度だが、彼はどのカメラも機能を果たしていることを確認していた。小さな美術館などでは、カメラがあっても配線がされていない場合がたまにある。

その展示室にふたりだけになる瞬間がやってくる。光景ががらりと変わり、ブライトヴィーザーはエンジンがかかったように、落ち着いた姿勢をかなぐり捨てて立入禁止の紐《ひも》を飛び越え、木製のドレッサーまで進む。スイス・アーミー・ナイフをポケットから取り出し、ネジ回しを引っぱり出し、アクリル樹脂のケースを外す作業にとりかかる。

ネジを四、五回まわす。目の前にある彫刻は傑作だ。高さ二十五センチだが驚くほど精巧に作られている。神に作られた初めての人間であるふたりは見つめ合い、抱き合おうとしている。その背後にある知恵の樹に蛇が巻き付いている。ふたりは禁断の果実を手にしているが、まだ齧《かじ》ってはいない。罪の瀬戸際にいる人間。ブライトヴィーザーはアンヌ＝カトリーヌが小さく咳《せき》をしたのを聞き逃さず、ドレッサーから飛び離れ、すかさず足取り軽やかに流れるような動作で美術品鑑賞の姿勢に戻ると、そこへ警備員がやってくる。スイス・アーミー・ナイフはポケットのなかだ。しかしネジ回しはまだ飛び出たままになっている。

警備員は展示室に入ってきて歩みを止め、部屋のなかを入念に見まわす。ブライトヴィーザーは息を殺している。警備員は踵《きびす》を返して出ていき、泥棒が作業を再開するまでほとんど戸口のところにやってこない。ブライトヴィーザーはいきなり素早く動きだして展示室のなかを飛び跳ねるように移動し、ネジを二回まわす。かすかな咳。さらに二回まわす。さらに。観光客の集団や警備員たちが出入りするなか、集中力を極限まで発揮しながら一本目のネジを外すためにかかる時間は十分。手がぶれてネジの端を薄く傷つける。ブライトヴィーザーは手袋をしない。素早く音を立てずに作業するには、指紋を残すことになどかまっていられない。二本目のネジは簡単にはいかないが、ようやく取り外したときに観光客がどっと入ってくる。彼はネジ二本をポケットに入れて急いでその場から離れる。

アンヌ＝カトリーヌが部屋の端で彼に目で合図すると、彼は自分の手で心臓のあたりを軽く叩く。最後の段階に入った、彼女の大きなバッグを使わなくてもすみそうだ、という合図だ。彼女は博物館の出口へ向かう。警備員はすでに三回姿を現し、そのたびにブライトヴィーザーもアンヌ＝カトリーヌも異なる場所にいるが、ブライトヴィーザーは緊張を強《し》いられている。彼は高校を卒業後、美術館の警備員として働いていたことがあった。それで、ネジの一本がなくなっていようがはみ出していようが、そんな些細《ささい》な点を気にする警備員はひとりもいないが、人の動きだけはあらゆる警備員が注視していることを知っていた。警備員が立て続けに二回やってきた部屋に留まって盗みをするのは得策ではない。三回やってきた場所で犯行に及ぶのは考えなしの向こう見ずだ。四回目は、彼の腕時計ではあと一分後に現れるはずだが、その前になんとかしなければならない。すぐさま行動するか、その場を離れるか。

問題はいまいる観光客の動きだ。彼は視線を横にずらす。近くの絵画の前に全員が群がっている。みな音声ガイドに繋がったヘッドフォンを付けている。ブライトヴィーザーはかなり邪魔な者たちだ、と思った。大事な瞬間だ。観光客のひとりでも彼の動きに気づいたら、彼の人生は終わる。ぐずぐずしてはいられない。泥棒が捕まるのは、窃盗行為のせいではない、と彼は思う。躊躇《ためら》いこそが危険なのだ。

ブライトヴィーザーはドレッサーに近づき、アクリル樹脂の展示ケースを持ち上げると、充分に注意して横に置き直す。そして象牙の彫像をつかみ、コートの背中の裾《すそ》を払いのけるようにして、スラックスの腰の辺りのベルトに像を押し込み、その姿がすっかり隠れるようにコートに余裕をもたせる。すこしばかり膨らんではいるが、それに気づくほど観察力のある者はそういるものではない。

彼はアクリル樹脂のケースを脇に置いたまま――それを戻すために貴重な時間を使いたくない――大股で、予定通り、しかし急いでいるようには見えないように、歩を進めていく。派手な盗みは、たちまち発覚して緊急対策がとられる。警察が到着する。博物館が閉鎖され、入場者全員が調べられる。

それでも、彼は走らない。走っていいのは掏摸《すり》や財布専門の泥棒だ。彼はゆっくりと展示室の外へ出ると、前もって調べておいた近くの扉をそっと通り抜ける。従業員が使うための扉には錠も警報器もついていない。そこから博物館の中央に位置する中庭に出る。蔦《つた》に覆われた壁にそって灰色の石畳を滑るように進んでいく。彫像が腰に軽くぶつかる。ようやくもう一枚の扉にたどり着き、そこを通り抜けると博物館の内部の、正面入り口に近いところに出る。受付の前を通り、アントワープの町の歩道に出る。警官たちが集まってきている。彼は注意深く歩調を変えず、磨き立てられたローファーを前へ前へと進める。アンヌ＝カトリーヌの姿が見え、ふたりは車を停車しておいた人通りの少ない道へ入っていく。

ミッドナイトブルーの小さなオペル・ティグラのトランクを開け、象牙の彫像をなかに置く。ふたりとも、にわかに生まれた多幸感に包まれながら、彼は運転席に、アンヌ＝カトリーヌは助手席に乗り込む。エンジンをかけ、アクセルを思い切り吹かし、タイヤを軋《きし》ませて発車したかったが、そこをぐっとこらえてゆっくりと車を運転し、町から出る道路にある信号機のところできちんと停車する。高速道路に入るやアクセルを吹かせるだけ吹かして飛ぶように走り、警戒心を打ち払い、二十五歳の未熟なふたりの若者は、大喜びでスピードを上げて家へ向かう。

第2章

その家は化粧漆喰の塗られた質素なコンクリート製の四角い建物で、小さな窓がいくつかあり、傾斜のある三角屋根は赤い煉瓦に覆われている。松の木が二本、草の生えた庭に影を落としている。その家はミュルーズの郊外の、似たような家が建ち並ぶ通りにある。東フランス工業地帯にあるミュルーズは化学工業の盛んな町で、美しさ溢れる国のなかではもっとも魅力の乏しい地区のひとつである。

その家の一階でおもに生活が営まれているが、狭い階段を上った先にも部屋がふたつある。垂木《たるき》の下にたくし込まれているような空間に居間と寝室として使われている二部屋があるが、天井が低いのでいささか窮屈だ。この二部屋に通じる扉には錠が掛けられていて、窓の鎧戸は閉まっている。寝室には天蓋付きの四柱式ベッドが入っていて、栗色のリボンで結ばれた金色のベロアのカーテンが波打ち、赤いサテンのシーツの上にはクッションが積み重なっている。この場違いなほど絢爛豪華な場所で、若いふたりは眠っている。

ブライトヴィーザーが目を覚ますと、まず目に入ってくるのは『アダムとイヴ』の彫像だ。その姿がよく見えるように彼のそばにあるテーブルに置かれている。指先でその彫刻に触れるときもある。彫刻家の手がかつて触れていた場所に。波打つイヴの髪から、蛇の鱗《うろこ》へ、さらには瘤《こぶ》のある木の幹へと。これまで素晴らしい作品をたくさん見てきたが、なかでもこの作品は、このあたりの家すべてを合わせた金額を倍にしたよりはるかに価値があるものかもしれない。

ベッド脇のテーブルにはふたつ目の象牙の彫刻作品もある。ローマ神話の狩猟と豊饒の女神ディアナの小立像だ。掲げられた右手には金色の矢がしっかり握られている。三つ目の彫像は、初期のキリスト教の聖人、アレキサンドリアの聖カタリナの小立像だ。さらには、巻毛の可愛らしいクピドが髑髏《どくろ》の上に足を置いている像がある。愛は死を退けるという意味だ。象牙のコレクションの優美な輝きほど一日の始まりを爽快に迎えるのにふさわしいものはない。

朝にはこれがいちばんだ。象牙のコレクションのそばに、輝きを放つ金の煙草容《たばこい》れがある。青いエナメルで縁取られたこの煙草容れの制作を依頼したのはナポレオンだったという。掌のなかに収めると、時間を超えて旅をしている気分になる。その横にあるのは花瓶だ。十九世紀末にフランスで活躍したガラス職人エミール・ガレの作品で、虹色の曲線がみごとだ。それから年代物の作品がある。大きな銀のゴブレットは、花輪と渦巻きが彫刻されている。忠誠を誓うために掲げられ、何世紀にもわたってワインをたっぷり注がれていたのだろう、とブライトヴィーザーは思う。かなり小さな丸いブリキの煙草容れは気持ちが和む形だ。オウム貝の杯のそばに立つ陶器の像の横に、ブロンズの作品が並べられている。彼のベッド脇のテーブルの上は美術館の展示そのものだ。

アンヌ＝カトリーヌのベッド脇にもテーブルがある。そしてガラスの扉と棚のついた巨大な衣装簞笥《だんす》がある。それから机とドレッサーがある。寝室の床は大量の作品で溢れ返っている。銀の大皿、銀の鋺《わん》、銀の花瓶、銀のカップ。金めっきを施したティー・セット、白鑞《しろめ》のミニチュア。弩《いしゆみ》、サーベル、戦斧《せんぷ》、棍棒。大理石や水晶、真珠母の小品。金の懐中時計、金の壺、金の香水瓶、金のブローチ。

この隠れ家にあるふたつ目の部屋にはさらにたくさんの美術品がある。木製の祭壇飾り、銅の皿、鉄の慈善箱、ステンドグラスの窓。薬剤師が使った広口瓶、骨董のゲームボード。ひと塊になった象牙の彫刻作品。ヴァイオリン、軍隊ラッパ、フルート、トランペット。

肘掛け椅子の上にも作品が積み上げられている。壁に立てかけられているもの、窓枠に置いてあるもの、洗濯物の山に載っているもの、ベッドの下に潜り込んでいるもの、クローゼットのなかに閉じ込められているものもある。腕時計、タペストリー、取っ手つきのビールの大ジョッキ、火打ち石銃、手綴じの本、さらなる象牙作品。中世の騎士の兜、聖母マリアの木像、宝石で覆われた卓上時計、挿絵入りの中世の祈禱書。

こうしたものはすべて、真に卓越した作品には及ばない品物だ。最高に素晴らしい、価値のある貴重なものは壁に掛けられている。十六世紀と十七世紀に描かれた後期ルネサンスと初期バロック時代の作品で、躍動的で生命力に満ちた色合いだ。肖像画、風景画、海辺の風景、静物、寓話、農民の絵、田園風景。床から天井まで、左から右まで、部屋じゅうに展示されている。テーマ別に展示されたもの、地域別に展示されたもの、気まぐれに置かれたもの。

何枚もの世紀の傑作――クラナハ、ブリューゲル、ボッシュ、ワトー、ゴヤ、デューラー――が掛けられているために、部屋に色の渦巻きがあるようで、艶《つや》やかな象牙のためにその輝きはさらに増幅され、銀のきらめきはいっそうきらめき、金の明るさのおかげでますます照り映えている。このうらぶれた町の何の変哲もない家の屋根裏の隠れ家にしまわれている全作品は、総額二十億ドルの価値があると美術ライターからは評価されている。若いふたりはありきたりの空想物語を軽々と超えてしまう現実を創りだした。文字通り、ふたりが暮らしているのは宝箱のなかなのだ。

第3章

ステファヌ・ブライトヴィーザーは本物の美術品泥棒ではない。本人はそう思い込んでいるが、彼ほど多くの作品を難なく手に入れるという大きな成功を収めた美術品泥棒はほかにいないだろう。彼は屋根裏部屋にある美術品の大半を、アンヌ＝カトリーヌ・クラインクラウスの手を借りて盗んだことを否定していない。自分がしたことを正確に理解している。なかには、自分が盗んだやり方から、美術館の出口まで作品を持ち出していくときに降りた階段の数まで正確に覚えているものもある。

問題はほかの美術品泥棒たちにある、と彼は思っている。ほかの泥棒たちをことのほか嫌っている。ほとんど全員といっていい。大泥棒であっても認めない。一九九〇年の聖パトリックの日の夜、ボストンにあるイザベラ・スチュワート・ガードナー美術館に現れた、警官の制服を着たふたりの男のような泥棒を軽蔑している。このふたりは美術館のなかに入ると、それを見た夜警にブザーを鳴らされた。夜警はたちまち制圧されて目と口を粘着テープで覆われ、地下の配管に手錠で繋がれた。

深夜に暴力にものを言わせておこなう強盗は、人に恐怖を与えず白昼堂々と優雅に盗むべきだとするブライトヴィーザーの窃盗哲学を侮辱するものだ。しかし、このガードナー美術館の犯罪を彼が侮蔑している理由は、そこではない。その次に起きたことが問題なのだ。泥棒たちはその後二階へ進み、この美術館でもっとも素晴らしい作品、一六三三年レンブラント作『ガラリアの海の嵐』を壁から引っ張り下ろした。そして、ひとりがそのカンバスにナイフを突き刺したのだ。

ブライトヴィーザーはその様子を想像することなどとてもできない。絵の端に刃物を突き刺せば、絵具が細かな欠片《かけら》となって散らばり、画布《カンバス》の糸が飛び出す。四辺の合計が五メートル七十八センチの額に沿って刃を滑らせ、その画布を額から剝ぎとり、それを無理やり筒状に巻く。絵具は音を立てて細かく剝がれ落ちる。次に泥棒たちはもう一枚のレンブラントの絵に向かい、同じ動作を繰り返す。

これはブライトヴィーザーのやり方ではない。いかに犯罪者が道徳的に堕落していようと、絵画をわざと切り刻んだり破ったりすることは人の道から外れている。たしかに額縁は盗みを働く場合、非常に扱いにくい。だから彼は、絵画を壁から外してからそれを裏返しにし、裏側にある留め金や釘などを丁寧に外し、額縁から絵を抜き出すと額縁をそこに残して絵だけを持ち去る。そんな悠長なことをしている暇がないときには絵を盗むのを諦める。そして余裕があるときは、額縁を外されて生まれたばかりの赤ん坊のように脆《もろ》くなった絵が、傷ついたり歪んだり皺《しわ》が寄ったり汚れたりしないよう、細心の注意を払う。

ガードナー美術館の泥棒は、ブライトヴィーザーの基準では、野蛮すぎる。レンブラントの作品を意味もなく破損させた。レンブラントの絵を、だ。人間の感情を神聖な光で描く巨匠の作品を。泥棒たちはいまもまだ見つかっていない。彼らが盗んでいった五億ドル相当の十三枚の作品も発見されていない。だが、たとえ発見されたとしても、決して元のようにはならないだろう。大半の美術品泥棒と同じように、ガードナーの強盗たちも実際には美術品のことなどどうでもいいと思っている。彼らはこの世界をさらに醜悪な姿にしただけだった。

ブライトヴィーザーは、美術品を盗む唯一の動機は美しいものに囲まれていたいからだ、美しいものを貪《むさぼ》りたいからだ、と述べる。犯罪の動機に美意識を持ち出した美術品泥棒は極めて珍しい存在だが、ブライトヴィーザーはさまざまな報道関係者とおこなった何十時間にも及ぶインタビューのあいだ、繰り返しこれについて述べていた。そのインタビューのなかで彼は、自身の犯罪行為を隠そうともせず、自身の罪や感情をきわめて正確に直接的に、現在形で述べている。厳密に表現するために過剰なサービスをすることもあった。『アダムとイヴ』を盗んだときのことを詳しく述べるように言われた彼は、すぐに変装——野球帽を目深に被り、偽の眼鏡をかけた――をしてみせ、犯罪の現場に戻ってまでして、決断を下したあらゆる瞬間やネジを外した様子、作品を鑑賞している格好をやってみせた。ほかのいくつかの盗みについても同じことをしている。警察による大量の報告書のおかげで、彼の供述内容が正しいことが証明されている。

彼はいちばん心を動かされた作品だけを盗み、美術館のもっとも高価な作品には手を出していないことが多い。美術品を盗むことにつゆほども罪悪感がないのは、美術館が芸術作品にとって本当の監獄だからだ、と常軌を逸した意見を述べている。美術館はたいてい人で溢れ返り、騒々しく、入館時間が決められていて、椅子は座り心地が悪く、考えたり体を伸ばしたりする人に優しい場所がない。ガイド付きの観光客の集団は自撮り棒を持ち、鎖《くさり》に繋がれた囚人のように展示室を通り過ぎていくように見える。

美術館では、心惹かれた作品の前でやりたいと思うことすべてが禁じられている、とブライトヴィーザーは言う。まずやりたいことはリラックスすることだね、と彼は述べる。ソファか肘掛け椅子に座って体を落ち着けたい。それから、飲み物を飲む。軽食を口に入れる。望むときにはいつでも美術品に触れたり、作品を抱き締めたりできなくちゃね。そうすることで新しい観方ができるんだから、と。

象牙の『アダムとイヴ』を見てみよう。この作品には実に多くの象徴的な意味が含まれていて、それがみごとに均整の取れた体と美しい姿勢をいっそう印象的なものにしている。美術館のツアーガイドならそう説明するかもしれないが、どの言葉も生《なま》の感情を抱くチャンスをはるか彼方へと追いやってしまう。

　ブライトヴィーザーの助言に従って、この彫刻をこっそり盗んで、もう一度よく見てみよう。アダムの左腕はイヴの肩を抱くような形に伸び、右手は彼女の体に触れている。人類初の人間であるこのふたりは、神の手で創り出されたばかりの姿で、傷ひとつない。筋肉がつき、贅肉はなく、健康で、髪もふさふさしている。ふたりの唇はふっくらし、イヴの首は恥ずかしげに傾いている。ふたりは裸だ。アダムのペニスはしかるべきところにきちんとあり、割礼が済んでいるようだ。じっくり見てもかまわない。イヴの右手はアダムの背中にまわされ、彼をもっとそばに引き寄せようとし、股のあいだに置かれた左手の指は内側へと曲げられている。

　偉大な芸術作品の多くは性的な刺激を与えてくれるので、したくなってきたら、そして相手がそばにいてそのタイミングが合ったなら、近くにある四柱式ベッドに潜り込めばいいんだ、とブライトヴィーザーは言う。ベッドに入っていないときの彼は、職務中の執事のようにあれこれと作品の世話を焼き、温度と湿度、明るさと塵《ちり》の具合をチェックする。ここの作品はすべて、美術館にいたときよりはるかによい状態で保管されている、と彼は言う。暴力的な窃盗犯と同列にされるのはあまりにもひどいし、不公平だ、と。美術品窃盗犯ではなく、異端の習得法で作品を入手する美術品蒐集家と思われたいそうだ。あるいは、もしよければ、美術品解放者と呼んでもらいたい、と。

　では、アンヌ＝カトリーヌはどうだろう？　彼女の気持ちをはかるのはかなり難しい。取材に応じようとしない。彼女と話をしたことのある人は少ないが、しかし、そうした人々はいろいろなことを教えてくれた。そのなかには弁護士や知人、探偵などがいる。ふたりを分析した心理学の報告書は公表されている。記録された調書の内容と証拠も開示されている。ふたりのホーム・ビデオと個人的な書簡も保存されている。さらに、美術館の防犯カメラの映像、報道記事、警官や検察官、美術業界の人たちの証言も揃っている。

　どの証拠品も動画も、この美術品窃盗を詳細に解明するために厳密に検証されたが、ふたりの恋愛関係と犯罪行為の詳細については、もっぱらブライトヴィーザーの発言によるものだ。アンヌ＝カトリーヌから窃盗について聞き出せれば、その全貌がつかめるかもしれないが、多くの質問に答えるなら、彼女は有罪を認めて重い刑罰を受けるか、徹底して嘘をつき通すかしかない。二者択一を迫られた彼女が黙秘したのは賢明に思える。

　彼女の正式な証言は少ないが、証拠から判断すれば、彼女が自身を美術品解放者と見なしてなどいないことは明らかだ。さらに、この犯罪を正当化するために倫理を歪めることもしていない。彼女のほうがブライトヴィーザーよりはるかに現実的で理性的だ。地に足が着いている。男のほうは空想に耽っている。ブライトヴィーザーはふたりを非現実の世界へ連れていくための乗り物を用意しているが、アンヌ＝カトリーヌが秘密を打ち明けた人たちによれば、彼女は盗品に対してふたつの相反する見方をしていたという。つまり、豪華絢爛ではあるけれどこのうえなく汚れている、と。ブライトヴィーザーの善悪の観念は明確だ。彼にとって美はこの世界で唯一の真の通貨であり、出所がどこであれ、持ち主を必ず豊かにしてくれる。つまり、いちばん美しいものを所有している者がいちばんの金持ちだということだ。彼は折に触れて、自分がこの世でいちばん裕福な人間に属すると考えていた。

アンヌ＝カトリーヌは自分を裕福だとは決して見なしていないが、それも無理はない。アンヌ＝カトリーヌとブライトヴィーザーは年がら年中、金に不自由している。彼は、金銭的な利益を求めたことはないし、美術品を売って金を稼ごうと思って盗んだことも一度もない、と誓っている。この点も、ほかの美術品泥棒とは一線を画している。ブライトヴィーザーは余裕がないため、車で移動するときでも高速道路を使わない。ときおり、アルバイトをしている。店の棚を補充したり、トラックの荷下ろしをしたり、ピザの店やカフェやビストロで給仕したりするが、たいていは生活保護を受けたり、家族からもらう小遣いでしのいだりしている。アンヌ＝カトリーヌは病院の常勤の看護助手をしているが、給料はあまりよくない。

ふたりの秘密の画廊がこんなおかしな場所にあるのは、そういう理由からだ。ブライトヴィーザーは家賃を払えないので、母親の家に無料で間借りしている。母親の部屋は一階にあり、息子の私生活について口出しせず、わざわざ二階まで上がってくることはない、とブライトヴィーザーは言う。アンヌ＝カトリーヌとともに運び入れた品々は、フリーマーケットで手に入れたものや模造品で、殺風景な屋根裏を賑やかにするためだ、と母親に説明している。

ブライトヴィーザーは母親の家に身を潜《ひそ》めている無職の居候に過ぎない。本人もそのことをよくわかっている。そういう身分なので安上がりな暮らしができて、そのため盗品を現金に換える必要を感じないまま、盗んだ美術品を保管することができるのだ。金のために美術品を盗むのは恥ずべきことだ、と彼は言う。金ならもっと安全な方法で稼げばいい。愛のために盗むことは、彼にはずっと前からわかっているが、この上ない喜びなのだ。

第4章

最初に彼が愛情を注いだのは、陶器の破片と煉瓦の欠片《かけら》と矢尻だった。彼はよく「遠足」に出かけた。「遠足」とは小学生のときに参加する行事だが、祖父とともに中世の砦跡《とりであと》を探索しにいくことを、そう呼んでいた。祖父はその杖の尖端で、後に二十億ドルにもおよぶ品を盗む男を刺激してしまったのかもしれない。

母方の祖父は物を発掘する達人で、その杖で地面を突《つつ》いたとき、ブライトヴィーザーにはそこを手で掘る合図だとわかった。地中から発掘された、釉薬《ゆうやく》をかけた煉瓦や弩《いしゆみ》の欠片などの遺物は、まるで彼に受け取ってもらうために何世紀もその場で待っていたという、非常に私的なメッセージを伝えているように思えた。そのときには、それを自分のものにしてはいけないと思っていたが、祖父が持って帰ってかまわないと言ったので、彼は家の地下室にある青いプラスチックの箱にその物をそっとしまった。地下へこっそり入っていき、青い箱を開けると体が戦《おのの》いて泣き出した。「心を鷲づかみにされた」というのが、大事な宝物についての彼の言い方だ。

ブライトヴィーザーは一九七一年にアルザスに代々続く一家に生まれた。アルザスはフランスの一部だが、たえずその土地を奪われてきた歴史がある。両親は息子にキリスト教徒の洗礼を受けさせた。正式な名前はステファヌ・ギョーム・フレデリク・ブライトヴィーザー。百貨店の取締役だった父親のロラン・ブライトヴィーザーと、小児病院の看護師として働く母親のミレーユ・ステンゲルのあいだにできたひとり息子だ。

ブライトヴィーザーは三匹のダックスフントといっしょに、ヴィテネムにある堂々とした邸宅で育った。ミュルーズはスイスとドイツとフランスの三国の国境に近く、ヴィテネムはフランス側にあった。母語はフランス語だが、ドイツ語を流暢に話し、英語でも会話ができた。さらに、アルザス語とその土地のドイツ語の方言も話せた。この百五十年のあいだにドイツとフランスはアルザスをめぐって五回にわたって争っており、地元の人々は国境の向こう側の給料の高さと物価の安さを羨《うらや》み、この土地をフランスが諦めてくれないものかと思っている。

ブライトヴィーザーの家にはみごとな調度品――一八〇〇年代の第一帝政様式のドレッサーや食器棚、一七〇〇年代のルイ十五世の肘掛け椅子など――が揃っていて、アンティークの兵器類も飾られていた。彼は、古い兵器で遊んでいたことを覚えている。親が見ていないときに展示台からこっそり持ち出し、想像の敵と戦っていたという。壁には絵画が何枚も飾られていたが、そのなかにアルザスの表現主義の画家ロベール・ブライトヴィーザーの作品があった。この画家の名は彼の郷里ミュルーズの通りにつけられている。この画家はステファヌの曾祖父の兄弟にあたるので血縁関係は希薄だったが、ステファヌ一家の訪問を喜んで受け入れていた。一九七五年に死ぬ直前に画家は、幼児だったステファヌ・ブライトヴィーザーの肖像画を完成させている。

何年にもわたってブライトヴィーザーは知り合いに向かって、ロベール・ブライトヴィーザーはぼくのおじいさんなんだ、と言っていた。この嘘が本当のことらしく伝わったのは、彼に言わせれば、父方の有名な画家がわざわざステファヌの姿をカンバスに描いてくれたからだが、ステファヌのほうは父方の祖父母と深い関係を持とうとしなかった。

ところが母方の祖父母、アリーヌ・フィリップとジョゼフ・ステンゲル——杖で「物を発掘する達人」の祖父——との関係は、強く揺るぎないものだった。子ども時代の最良の思い出は、その祖父母と過ごしていたころのことだという。週末になると、改装した田舎の農場の家でランチを食べ、クリスマスの祭りのときには夜明けまで映画を観て、そしてもちろん、祖父とライン渓谷の見える丘まで遠足に出かけた。そこにユリウス・カエサルの部隊が紀元前一世紀に建てた砦があった。

ブライトヴィーザーの好みが変わり、新しく情熱を傾けるものができて金銭的な支援が必要になると、母方の祖父母は必ず彼の願いを聞き入れた。彼が言うには、自分は祖父母の唯一の孫だったので、徹底的に甘やかされ、祖父母の家から帰るときには小さな白い封筒を手渡された。彼は硬貨と切手と古葉書に夢中になり、フリーマーケットやアンティーク・フェアなどで封筒の中身を景気よく使った。石器時代の道具、ブロンズのミニチュア、年代物の花瓶をこよなく愛した。ギリシア・ローマ時代とエジプトのアンティークを慈しんだ。

ブライトヴィーザーは思春期には気分屋で不安に陥りやすく、社交性に乏しく、頑《かたく》なで自尊心が強かった。考古学の機関誌や美術雑誌を定期購読し、中世の陶器、ギリシア時代の建物、古代ギリシアの歴史に関する本を貪《むさぼ》り読んだ。地元の考古学の発掘現場で働くことを買って出た。「過去に慰めを求めていたんですよ」と彼は言っている。若者でありながら古い世代の人間だった。

同世代の子どもたちには面くらうばかりだった。子どもたちが大騒ぎしてやっているビデオ・ゲームやスポーツ、パーティなどが嫌でたまらなかった。大人になってからは、携帯電話や電子メール、ソーシャルメディアなどにも同じ感情を抱いた。どうしてほかの人たちにいとも簡単に妨害されなければならないのか。ブライトヴィーザーの両親は学校でよい成績を取ることを息子に期待し、将来は弁護士になってほしいと思っていたが、彼にとって教室は学ぶ場としては最悪なところだった。いつも痩せこけていた彼は、学校ではいじめの対象になった。「みんなと正反対だった」という。気の滅入るような出来事ばかりが起きて、それがカーテンのように彼を閉じ込め、何週間もそこから出ることができなかった。十代からセラピストと幾度となく対話を重ねてきたが、自分の問題は解決不可能なものだと思うようになった。つまり、自分は間違った時代に生まれてきてしまったのだ、と。

彼の父親は権威主義者で、要求ばかりしていた。息子が軟弱な子であることを知って失望したのだ、とブライトヴィーザーは言う。高校時代のある夏、父親は息子にプジョーの自動車組み立てラインの仕事を探してきた。長時間の肉体労働が息子を鍛えると思ったのだ。一週間その労働を続けた。「父親は、ぼくをまったく価値がない人間だと思ったかもしれない」と彼は言う。母親は気分がころころ変わった。火山のように怒りっぽくなったかと思えば、氷河のように近づきがたくなった。とはいっても、いっしょに時間を過ごすことは滅多になかった。父と息子のあいだにみなぎる緊張感に抗うように、母親は息子に対して寛容で、息子の言いなりになりがちだった。極端なほどに。高校時代に、数学の悪い成績が記載されている評価表を持ち帰ってくると、母親はそれを見て、お父さんはきっと烈火のごとく怒るわよ、と警告した。ブライトヴィーザーは黒いペンで新しい評価を書き直し、母親はその行為を黙認した。母親はなんでも大目に見てくれたし、すぐに許してくれた、と彼は言っている。

息子が強情で手に負えないときに美術館に連れていくと、必ず穏やかになることに気づいた両親は、近隣に十館以上ある美術館のどれかに彼を置き去りにし、彼は午後のあいだずっと自由に館のなかを歩きまわった。そこで自分だけの場所、警備員たちからは見えない場所を見つけ、彫刻や絵画に指を這《は》わせ、わずかに感じられるでこぼこや傷に触った。専門家はそうした傷を「証拠の印《ウィットネスマーク》」と呼ぶが、これは機械製品には存在しないものであり、人間が作った唯一無二のものであることの証だ。人間の作品には同じ刷毛《はけ》遣いはなく、同じ鑿《のみ》の跡はない。両親が迎えにくるときには彼はすっかり満ち足りた気持ちになっていた。

ストラスブール考古学博物館に置き去りにされたとき、ローマ時代の柩《ひつぎ》に取り付けられた金具に指がひっかかった。緩《ゆる》んでいたのだ。硬貨ほどの大きさの鉛の欠片《かけら》が外れて掌の上に落ちた。反射的にポケットに入れた。これが初めて美術館で盗みを働いたときだったのかもしれないが、彼はこれについて最初から合理的に解釈し、祖父と遠足に行ったときに見つけた欠片と同じように、古代の神からのプレゼントだと考えた。家に帰ると、この二千年前の遺品を、まだ地下室に置いてあった青いプラスチックの箱に入れた。箱には「遠足」で手に入れたものや、祖父から渡された白い封筒の金で買った品物が入っていた。世界中でいちばん好きなものが入っている箱だった。

十代の頃には楽器や中世の道具、白鑞《しろめ》の水差しなどに夢中になった。飲酒用ジョッキ、華やかに装飾された箱、石油ランプを愛《め》でた。家具や武器、家に飾ってある絵画、父親の腕時計のコレクション、象牙の小立像、陶器の人形、稀覯本、暖炉周りの道具も大好きだった。

初め、両親の口げんかは静かにおこなわれていた。そのうち、声高で、辛辣な内容へと変わっていった。さらに怒りの鉄拳と皿の割れる音が伴うようになり、ブライトヴィーザーが高校を卒業した一九九一年になると、近所の人たちがあまりの騒音の恐ろしさに警察を呼んだことは一度や二度ではなかった。その年、家を出ていった父親は、家具に武器に絵画、腕時計、象牙の像まであらゆるものを運び出していった。親から相続したその大量の美術品をひと欠片も残さず運んでいったんだ、とブライトヴィーザーは言う。有名な画家が描いた幼児の息子の肖像画すら残さなかった。十九歳という大人になりかけていた時期だったが、棄《す》てられるという鋭い痛みを感じた、と彼は述べている。彼は母親とともに置き去りにされ、父親との繋がりが完全に断たれた。

大邸宅にはもはや住めなくなり、母と子はアパートメントに移った。「母がイケアで家具を買ってきたんだが、ぼくは打ちひしがれたね」と彼は言う。父親の厳格さから逃れ、社会的な転落の憂き目に遭い――彼の一家はこれまでボートとメルセデスを所有していたのに、いまや生活保護に頼っていた――社会の規律に従わなくてもいいような気がした。衣類、書籍、コレクター向きの品物など、欲しいものはなんでも万引きした。ある店で万引きがばれて警官が呼ばれ、無理やり謝罪させられ、賠償金を支払ったあとで身に沁みてわかったのは、今後一切、なにがあっても捕まってはならないということだった。

母方の祖父母が車を買ってくれ、それで自由に移動できるようになり、その結果大きな犯罪に手を染めるようになる。あるとき、駐車禁止をめぐって警官との言い争いが高じ、彼は過度に好戦的になって逮捕された。その直後、同じように警官と激しくやりあっているうちに暴力沙汰に発展し、相手の警官の指を怪我させた。こうした感情の爆発のせいで、裁判所の指示によりセラピー・クリニックに二週間滞在することになった。

彼は悲しみに押しつぶされそうになり、自殺するという考えを必死で押しやらなければならなかった。抗鬱剤のゾロフトを処方された。「薬は効かなかったね」と彼は言っている。それで服用するのをやめた。二十歳の誕生日が来る前に仕事を見つけることができた。それがミュルーズ歴史博物館の警備員だ。警備員として展示されている作品と来館者をじっくり観察した結果、日々の単調な雇われ仕事が自分は大嫌いであることがわかった。ひと月後に警備員の仕事を辞めたとき、美術館警備のやり方についての情報を手に入れ、さらには上階の展示ケースから、紀元五〇〇年ごろのメロヴィング朝時代に鍛造された金無垢のベルトのバックルを盗み、何も盗られていないように展示を動かした。

青いプラスチックの箱は、豊かな子ども時代の証である地下室から、狭苦しいアパートメントのイケアの本棚へ移されていた。ベルトのバックルが宝物に加わった。どれも彼には完璧な作品だった。どの作品も彼を怒らせたり虐《いじ》めたり、棄てたりすることはない。人間とは何もかも違っていた。時間をかけて青い箱を満たしていく人生は、なんて心安らかで心地よいものだろう。自分の部屋でひとりきりだが、非の打ちどころがなかった。人なんて、余計なものなのだ。

ところが、彼は女の子に恋をした。

第5章

アンヌ＝カトリーヌは、「フェラーリの赤い色」のシーツに覆われた四柱式ベッドの上で、黒い艶《あで》やかなナイトシャツを着て、暢気《のんき》に笑みを浮かべて寛いでいる。「ここはわたしの王国よ」と、彼女は芝居がかった仕草で両腕を広げ、贅沢な生活を享受しながら言う。恋人に投げキッスをする。その様子を彼がビデオに撮っている。

　ふたりは、いつものようにふたりだけで屋根裏の隠れ家にいる。『アダムとイヴ』の象牙像を盗んだ時期だ。これまで五年間をいっしょに過ごしてきた。アンヌ＝カトリーヌはお茶目で小柄で、百五十九センチ、えくぼがあり、割れ顎《あご》で、ブロンドのショートヘアはくしゃくしゃに乱れている。いたずらっぽい巻き毛が額にかかっている。ふたり組のチームとして正式に言及するとき、彼は「ブライトヴィーザーとアンヌ＝カトリーヌ」というふうに片方の姓と片方の名前を組み合わせるのを好んだ。理屈じゃないんだ、耳に心地よいかどうかでね、と彼は言う。

「入場料は百フランです」とアンヌ＝カトリーヌはビデオカメラをいたずらっぽく見つめながら言う。この値段、つまり二十USドルを払えば、秘密の王国へ入ることができる。あるいはもっと刺激的なことをするために。現金を求めるように彼女は掌を差し出す。

「高すぎるよ」とブライトヴィーザーはカメラの後ろでからかう。カメラがパンすると、アンヌ＝カトリーヌの貴重な作品が並ぶサイドテーブルが映り、さらにベッド脇の壁が見える。十七世紀のフランドルの風景画が所狭しと並んでいる。

「こっちに来て」と甘えた声でアンヌ＝カトリーヌが言う。「ほんとのキスをしてあげる」彼女はレンズに向かって身を伸ばす。狭苦しい空間に官能的な雰囲気が醸し出され、彼がカメラを置いたので録画はここで終わる。どうやら彼女の唇を目指したのだろう。

ブライトヴィーザーにとって、美術品は初めからアンヌ＝カトリーヌとともにあった。美しい作品を見ると指が震え、酔ったような気持ちになり、肌が粟立つような感じがするんだ、と彼は言う。自分と美術品のあいだに電気回路ができて、感覚が研ぎ澄まされ、想像力が刺激される、と。その感覚が最高潮に達すると、心臓が鷲づかみにされるような強烈な感動がやってくる、と彼は言う。それを感じるや、その作品を手に入れるためにあらゆる手段を講じるのだ。

高校の最終学年のとき、唯一の仲間は数人の考古学マニアだった。一九九一年秋、仲間の誕生パーティで彼はアンヌ＝カトリーヌを紹介された。ふたりは誕生日が三ヶ月も離れておらず、しかもふたりともアルザス人家庭の出身だった。彼はアンヌ＝カトリーヌが素晴らしく魅力的だと思った。生まれて初めて人間に対して心臓がつかまれるような衝撃を感じた。それまで本気で付き合った女性はひとりもいなかった。「すぐさま彼女に夢中になった」と彼は言っている。

彼女のほうもブライトヴィーザーに夢中になった。アンヌ＝カトリーヌを知り、彼女のことを進んで話してくれる人たちは口を揃えて、ふたりの関係は不健全で、理性的でなく、無謀だった、と述べている。しかし、全員が重要な点を認めている。「彼女は全身全霊をかけて、真剣に彼を愛していた」と、親友のひとりエリック・ブラウンは言っている。ブラウンは彼女の弁護士であり、彼女と実に長い時間をともに過ごしてきた。「彼女はいいかげんなことをするような人ではありません」。恋愛に対するアンヌ＝カトリーヌの態度は、すべてを受け入れるか、すべてを拒絶するかであって、曖昧な態度はとらない。「イエスかノーかなんですよ」とブラウンは強調する。そして、ブライトヴィーザーには徹底してイエスだった。

ふたりが出会ったとき、ブライトヴィーザーはまだ両親とあの広い邸宅に住んでいた。「最高級のブルジョアの家」というのがアンヌ＝カトリーヌが後に刑事に語った言葉だ。彼女は慎ましい家庭に生まれた。父親のジョゼフ・クラインクラウスはシェフ・ド・パルティ〔各種料理別の料理部門長〕で、母親のジネット・ミューリンガーはデイケア・センターで働いていた。アンヌ＝カトリーヌは三人きょうだいの長子だ。当時のブライトヴィーザー家はまだ、甲板の下に寝室のついたモーターボートを所有しており、そのボートに乗り込むと何日もかけて、スイスとフランスのあいだの鋸《のこぎり》のような山脈のなかにあるジュネーブ湖を航行した。冬になると、一家はアルプスでスキーを楽しんだ。夏にはアルザスの田舎をハイキングし、伝統的な宿屋で食事をとった。ブライトヴィーザーはテニスのレッスンを受け、スキューバダイビングの認定証を手に入れた。こうした屋外活動をする者は、若いアンヌ＝カトリーヌのまわりにひとりもいなかった。

ブライトヴィーザーの恋人になったことで、彼女の冒険心に火が点いたようだった。彼に出会う前の彼女の生活は、「いささか冴えなかったかもしれない」と弁護士のブラウンは言う。アンヌ＝カトリーヌの一家は経済的な問題を抱えていた。しばらくのあいだ車も持たず、彼女は大人なら当然とも言える車の運転の仕方を習わなかった。「彼女には情熱をかけるものがなかったんです」とブラウンは言う。「それが、ブライトヴィーザーに出会ってそれを知り、それ以上のものを求めるようになりました。精一杯生きるという感覚をブライトヴィーザーに教えてもらったんですよ」

同時に彼女のおかげで、まわりにある美しいものに彼の目が向くようになった。これまでは多様な作品や作風に魅了されてきたけれど、アンヌ＝カトリーヌは自分の本当の美の女神であり、好みが成熟したものになっていった、とブライトヴィーザーは言っている。「彼女の趣味は非の打ちどころがないんだ」と。高尚なものでも低級なものでも理解でき、アンティークなものを芸術品に高められる。ふたりがよく訪れたのは、たいてい曲がりくねった道の先にある小さな町の美術館だった。そうしたところでは、敬意を払われるべき美術品がゴミ同然の作品に混じって展示されていた。ふたりは美術品だろうとゴミ同然の作品だろうと気に掛けなかった。それぞれの作品が発する情動によって判断し、敬意の念から沈黙したまま部屋をめぐることが多かった。「ぼくたちは相手の反応が手に取るようにわかるんだ。だから話す必要がなかった」と彼は言っている。

彼の生活が崩壊していったとき、彼女は彼のそばにいて支えになっていた。付き合い始めて数ヶ月後に彼の両親が離婚し、彼と母親は大邸宅からイケアの家具のあるアパートメントに移った。アンヌ＝カトリーヌは、彼の家庭が崩壊してかえってふたりの関係が強固なものになったと感じていた。まるで課せられた試練を乗り越えたかのように。そして彼女はさらに多くの夜を、アパートメントの青い合板枠に収まる狭いマットレスのうえで彼と過ごすようになった。屋根裏部屋のある家に引っ越す前のことだ。映画のポスターが壁に貼られていた。ダスティン・ホフマン主演の『レイン・マン』のポスターを彼はよく覚えている。気の合ったカップルだった、と彼は言う。彼の感情が大きく揺れても、彼女はいつもその真ん中で物静かにいられた。「世界が彼女のまわりでぐしゃぐしゃになりそうになっても、彼女は落ち着いているだろうね」とブライトヴィーザーは言う。

将来のためにふたりはもがいていた。アンヌ＝カトリーヌは資格のある看護師になるための勉強をしていた。彼はストラスブール大学法学部に入った。だが、一学期が終わると大学をやめ、アンヌ＝カトリーヌは資格試験に合格しなかった。それで看護助手の職に就き、便器を換えたりゴミを集めたりする仕事をこなした。

一九九四年晩春の週末、ふたりはアルザスのタンの農村を訪れた。石の尖塔のあるゴチック様式の教会のまわりに密集している家のなかには、傾いてしまっている古い家もあった。地元の美術館は十六世紀の穀物倉庫を改修したものだった。二階に行くと、ブライトヴィーザーの目がひとつの展示ケースに惹きつけられた。すると、全身に震えが走り、心臓が鷲づかみにされた。

十八世紀初期の火打ち石式発火装置《フリントロック》の拳銃だった。胡桃《くるみ》材の本体に彫刻が施され、銃身とグリップは銀の象眼で飾られていた。見た瞬間、これと同じような作品をすでに持っていてしかるべきだった、と彼は思った。父親はフリントロックの拳銃を数丁持っていた。それは、父親のコレクションのなかで彼がいちばん好きだったもので、父親もそのことを知っていた。父親が荷物をまとめて出ていった日以来、同じような銃を一丁も目にしたことがなかった。ブライトヴィーザーは以前、父親の銃の代わりになるものを求めて、近くのオークションで似た銃を買おうとしたことがあったが、そのたびに金持ちのディーラーに競り負けた。そのディーラーたちはそうした銃を自分の店で、競り値の十倍の値段を付けて売った。「汚いやり方だよ」とブライトヴィーザーは言う。

彼は長いあいだそのフリントロックの拳銃を見つめていた。しかし、それ以上見つめていたくはなかった。家に持ち帰りたかった。この銃は、父親のコレクションにあったものよりはるかに古くて素晴らしい作品だよ、と彼はアンヌ＝カトリーヌに囁《ささや》いた。「これがあれば父親を『こけにする』ことができる」。アンヌ＝カトリーヌと両親との関係は良好だったが、彼女は父親に対するブライトヴィーザーの怒りを理解できた。彼女は彼の父親に会ったことがあるが、ブライトヴィーザーによれば、ふたりはそりが合わなかった。父親はアンヌ＝カトリーヌの貧しい生まれに我慢ができなかったんだ、と彼は言う。

銃の入っている展示ケースについているアクセスパネル〔警備点検のために開くことのできるパネル〕を彼は指でアンヌ＝カトリーヌに示した。錠がついていなかった。高校を出てほんのわずかなあいだ美術館の警備員の仕事をしていたことがあるが、それから三年が経っている。しかし彼は些細《ささい》な点に気づく目を備えていた。まわりに来館者はいない。警報器はない。防犯カメラもない。警備員がいない。この美術館のたったひとりの職員は夏休み中に雇われた学生で、一階の展示室にいた。ブライトヴィーザーはその日バックパックを持参していた。小さな登校用バッグだ。しかし役に立つだけの大きさはある。

アンヌ＝カトリーヌの反応こそが、二度と引き返せなくなる瞬間を示していた、と彼は言う。ふたりとも二十二歳だった。彼がアンヌ＝カトリーヌと出会ったとき、ブライトヴィーザーはつまらない犯罪行為を繰り返していた。品物を万引きしたり警官と取っ組み合いをしたりしていたのだ。アンヌ＝カトリーヌは罪を犯したことは一度もなかったが、だからといって彼の行動を不快には思わなかった。

「彼のギャングっぽいところに惹かれたのかもしれませんね」と彼女の親友で弁護士のブラウンは言っている。フリントロックの銃を目の前にして、いままさに冒険に踏み出すチャンスだった。そうなればアンヌ＝カトリーヌは世間に背を向けている恋人に強い印象を与え、彼をもっと親しく感じられ、もしかしたらますます彼に愛されるかもしれない。彼女をよく知る人たちが言うには、彼女はボニーとクライド〔一九三〇年代にアメリカ中西部で銀行強盗や殺人をおこなったカップル。ボニー・パーカーとクライド・バロウのこと〕みたいになるという青臭い空想に耽っていたのかもしれない。

「やっちゃえばいい」とアンヌ＝カトリーヌは言った。「盗んで」

第6章

　ブライトヴィーザーは展示ケースのパネルをずらして開け、手を内側に入れて目当ての銃をつかんだ。それをバックパックに突っ込んだ。「びくびくしてたよ」とブライトヴィーザーは言う。アンヌ＝カトリーヌと彼は、この犯罪が明るみに出ることはないと思っていたが、急いで美術館を出て車を発進させた。ふたりは葡萄畑と小麦畑のあいだを走りながら、パトカーのサイレンが聞こえてくるのではないかと不安だった。「ぼくはどうしていいかわからず、気分が悪くなった」と彼は言うが、ふたりは無事にアパートメントにたどり着いた。

　ブライトヴィーザーは布にレモン汁を含ませ、銃を磨いた。クエン酸はものを輝かせると美術雑誌に書いてあった。銃の光沢が部屋を明るくし、しばらくのあいだ、イケアの家具すらまんざらでもないように思えた。

ふたりは美術館で変装する必要がなかった。このときの盗みはいわば衝動的な行為で、奇襲だった、と彼は言う。警官がふたりの家にやってくるだけの、実に多くの犯罪の手がかりを残してきた、と彼は思っていた。一度、恐怖のあまり吐き気がして、銃を捨ててしまうことをふたりで話し合ったが、様子を見ようということになった。何週間もずっと、毎日地元の新聞を目を皿のようにして調べたが、窃盗の記事は現れなかった。警官たちが家に来ることはないかもしれない。恐怖は緊張に変わり、やがて安心へと変わった。それでも警官はやってこない。間もなく、少しばかり誇らしげな気持ちが芽生え、その後、喜びすら感じるようになった。

銃は絶品だったので、プラスチックの青い箱に隠しておくことができなかった。銃を隣に置いて眠り、時折銃にキスしたくなった、と彼は言っている。喜びが狂気的なレベルにまで達すると、父親に対して抱いていた怒りが薄らぎ、物を所有する幸福感のほうが強まった。愛人であり共犯者であるアンヌ＝カトリーヌに関しては、人生をともにすることを運命づけられたソウルメイトのように感じた。

銃をかっぱらってから、恐怖が喜びへと変わっていく回転木馬の状態は、もう一度経験したくなるだけの魅力があった。彼にはわかっていた、ほんの少しばかり行動を考えれば、リスクを軽減できるはずだ。オークションなど知ったことか。自分のやり方で美術品を集めればいいんだ。銃を盗んでから九ヶ月後の一九九五年二月の寒い日、ふたりはアルザスの山々へ車を走らせ、赤い砂岩の塔と壕のある、堂々とした要塞のような城へ向かった。十二世紀に建てられたその城は、小麦やワイン、塩、銀などの通商に不可欠なルート上の係争地にあり、いまは中世の風俗を展示する博物館に姿を変えていた。ブライトヴィーザーが子どものころに何度も来ていた博物館だった。両親に連れてこられ、ひとりで過ごした場所だ。ここには手に入れたいものがあった。

「あなたたち、とても勇敢ね」とチケット売り場のレジ係が言った。暖房のない城は冬には身が凍えるほど寒いの、とレジ係は説明した。ブライトヴィーザーは口にこそ出さなかったが、ここは寒いし、この時期の来館者は少ないはずだからもってこいなんだよ、と思っていた。この城のようにまとまりがなく広い場所なら来館者もおらず、さりげなく動けば、盗みにはおあつらえ向きの状況だ。彼は銃を盗んだときと同じバックパックを身に着け、アンヌ＝カトリーヌは大きなハンドバッグを肩に掛けていた。

武器の展示室に入ると、彼は子ども時代から手に入れたかった弩《いしゆみ》のところに行った。祖父との「遠足」で、弩の欠片《かけら》を見つけたことがあったが、無傷のものを発見するのをずっと夢に見ていた。天井から下がっているワイアに取り付けられた弩は胡桃《くるみ》材と骨でできていて、鷲の彫刻が施され、革のタッセルがついている。昔の記憶には、こんな細部があることなどわからなかった。ただ、その弩はあまりにも高いところにあって、手が届かなかった。

ブライトヴィーザーの盗みの才能のひとつに、重圧に押しつぶされそうになっているときでも、不測の事態に対する簡単な解決法をたちどころに思いつく点が挙げられる。警備員がいないことを見て取り、ツアー客もいないという利点を活かし、ブライトヴィーザーは椅子を武器展示室に運んできて弩の真下に置いた。アンヌ＝カトリーヌは、はぐれた来館者や警備員がやってくる場合に備えて見張っていた。彼は椅子の上に立ち、ワイアを外した。両手に抱えてから気づいたのだが、その弩は大きかった。弓のリムが彼の腕よりも長く、しかも分離できなかった。この武器はどんなバックパックにもハンドバッグにも入らない。

ほかの解決法が要る。この城は千年にもわたって外からの攻撃を防いできたが、内側からの侵入者に対してはなんの防備もできていなかった、とブライトヴィーザーは述べている。各展示室に窓は少なかった。細長い窓だが幅は足りていそうだ。わずかに力を入れただけで窓は開いた。窓から外を見た。二階の下には岩が見えた。これはまずい。窓から首を出して見ると、岩ばかりがあるわけではないことがわかった。彼は弩を持って別の部屋に行き、その窓を開けた。下までかなりの距離があるが、下は草地になっている。弩は戦場で使われることを想定しているので、壊れにくい。彼は弩を窓からうまく外へと突き出し、落とした。

ふたりはしばらくその場にいた。急いで動いて警備員の注意を引きたくなかった。しかし武器室の天井からぶら下がっているワイアに気づかれないうちに外に出なければ……。ブライトヴィーザーとアンヌ＝カトリーヌは城を出た。彼女が車に入ってすぐにエンジンを動かせる状態にしているあいだ、彼は沼地の多い森を貫いている城壁に沿って歩いた。身軽に動きながら無傷のままの弓を探しあてた。

帰宅したふたりは、銃を盗んだときと同じように、最初は恐怖にとらわれていた。今回のこの犯罪については地元の新聞「ラルザス」が書いた。弩が盗まれたのに博物館側が気づいたのは、ふたりが訪れた日からだいぶ経った後で、警官は容疑者はわからないと語っていた。この記事で彼は元気づいた。それでふたりはその記事を切り抜いてスクラップブックに貼り付けた。ぼくたちは自分たちのしたことを誇りに思った、と彼は言う。二度目の盗みでは、苦痛から喜びへと変わる過程があっという間だったのだ。

彼の両親の離婚手続きはその後間もなく完了した。ブライトヴィーザーの母親は、離婚の慰謝料で郊外に家を買った。そして息子とその恋人がその家の屋根裏に間借りすることに同意した。しかも母親はふたりのために夕飯を頻繁に作った。もっと厳しく接することもできたが、小児科の看護師という職業柄、それは無理な話だった。世話を焼くのが習い性になっていたのだ。しかも彼女は息子に、自由な時間に何をしているのかと厳しく追及することもなかった、とブライトヴィーザーは言う。「食事以外では、母親とはなるべく接触しないようにしていたんだ」

転居祝いに、祖父母は孫に派手な四柱式ベッドをプレゼントした。そのベッドをふたりはビロードとシルクで覆った。もう、イケアは使わない、もう二度と映画ポスターは飾らない、とブライトヴィーザーは心に誓った。ふたりはフリントロックの銃と弩をベッドのそばに飾った。この初めての装飾が最終的には、ルーヴル美術館の展示室のように、過去の世界の栄光を感じさせるものになることを彼は望んでいた。この計画はもちろん、そう簡単には達成できそうにない。というのも、新しい部屋を見まわしてみても、四方の壁に広がっているのは、装飾されることを待ち望んでいるかのような空間だけだったからだ。

第7章

弩《いしゆみ》を盗んでから数週間経ってもお祝い気分が消えないまま、ふたりはスキーに行くことにした。一九九五年三月初旬、この旅行の軍資金はいまも孫に小遣いを与えている祖父母が提供してくれた。スキー用具を車に積んだふたりは、スイスにあるグリュイエール城に立ち寄ることにした。この城は十三世紀の要塞で、いまは美術館として使われ、そこから中央アルプスのぎざぎざの稜線を望むことができた。ふたりはチケットを現金で購入し、いつものやり方で入っていった。

盗むためにここに来たのか。「そうじゃない」と後にブライトヴィーザーは述べることになる。どの盗みについても同じように言う。観ることしか考えなかった、と。しかし、これが心理的ごまかしに過ぎないことを彼は認めている。観ることしか考えないと思えば、緊張を感じずに入っていくことができ、ぴりぴりせずにすむ。だから、本当の答えは、「そのとおり」だ。

　長年にわたるブライトヴィーザーの習慣は、目に入った美術館のパンフレットを必ず手に取ることだ。旅行会社やホテルのロビーで抱えきれないほどのパンフレットを集める。図書館に行ったり雑誌の売店を見たりするときには、目にした美術雑誌をぱらぱらとめくる。フランスの美術専門の週刊誌「ラ・ガゼット・ドルーオ」は定期購読している。

　こうしたパンフレットや雑誌のなかに、ときどき作品の写真があって、それが目に飛び込んでくる。指をぴくつかせながら、彼はその付帯記事やキャプションを読み、その作品が収蔵されている場所を脳裏に焼き付ける。子どものころに訪れた美術館で魅了された作品はいまも鮮明に覚えている。そういった作品も脳裏のリストに加える。ふたりは美術品を求めてできる限り頻繁に旅に出ることにする。アンヌ＝カトリーヌが勤め先の病院から一週間の休暇を取れるとき、ブライトヴィーザーが道順を絵に描き、ふたりで長い旅に出て、脳裏のリストにある作品をたどっていく。

　それがふたりの計画だった。彼に必要なのは視覚的な手がかりと目的だ。ほかのことは多かれ少なかれその場の成り行きまかせになる。盗む速度は観光客や警備員の動きによって決められるので、彼の手はいつも動き出す準備をしている。なにも盗《と》らずに出てくることも、訪れた美術館の半数以上にのぼる。盗むには危険すぎる状況――警備の人数が多い、防犯カメラがたくさんある、来館者が多い——や、盗るに値《あたい》する作品がないときがあるからだ。うまく盗めたときも、正確な逃亡ルートがわかっているわけではない。美術館のなかの通路にしても、自宅までの道順にしても。彼はともかく直感を信じる。旅の途中で、知らない美術館に偶然出くわして入館することもよくある。もし体がざわざわするような優れた作品に出逢えたら、なにも考えずに盗みを働くだろう。彼の唯一の専用道具はビクトリノックス社のスイス・アーミー・ナイフで、いろいろな道具がしっかり詰め込まれた幅広のものだ。

グリュイエール城の尖塔の石段を上がりながら、ブライトヴィーザーはこのスキー旅でわざわざここに立ち寄るきっかけとなった美術品を見る。宝石を身に着け、ショールを頭から被った老婦人を描いた小さな油彩で、その顔立ちは気高くもあり物憂げでもある。壁のラベルを見ると、十八世紀のドイツの写実主義の画家クリスティアン・ヴィルヘルム・エルンスト・ディートリヒの絵だ。板に描かれている。ブライトヴィーザーはこの画家のことは何も知らない。この時代の絵画は通常、布が稀少で高価だったために板に描かれていたことすら知らない。しかしすっかり魅了されてその絵の前に立ち尽くす。老婦人の首を隙なく覆う襞《ひだ》の襟の感触がわかるほどで、その目を覗き込んだとき、思いがけないほどの親しみを感じた、と彼は言っている。

ブライトヴィーザーはスタンダール症候群について研究してきた。たいていは図書館から借りてきた美術理論の本から知識を仕入れた。自分が夢中になった事柄については昔から貪欲に調べた。アンヌ＝カトリーヌは病院で一日中忙しく働いているので、美術に関する研究をする時間がない。それに、彼女は美術に関心を抱いていないようだ、と彼女をよく知る人たちが言う。パンフレットや情報の収集は彼にまかせている。

フランスの作家スタンダールは、一八一七年に刊行された『ローマ、ナポリ、フィレンツェ』という紀行文で、フィレンツェのサンタクローチェの聖堂《バシリカ》で起きた出来事について記している。巨大な教会のなかにある小さな礼拝堂で、スタンダールは頭を反《そ》らし、ボールト状の天井を覆うフレスコ画を夢中になって見ていた。そのとき「最高の興奮」と「強烈な官能」と「深遠なエクスタシー」に圧倒されたと書いている。心臓が爆発するのではないかと思い、スタンダールはよろめき、目眩《めまい》を感じながら礼拝堂から逃げ出した。外に出てベンチに寝ていると、しばらくして回復した。

一九七〇年代に、フィレンツェ中央病院の精神科部長グラツィエッラ・マゲリーニは、美術館で芸術に触れて圧倒された人々の症例を記録するようになった。症状としては、目眩、動悸、記憶喪失などが含まれる。ある人物は、眼球が指先まで伸びたような感じがした、という。ミケランジェロの代表的なダヴィデ像はそうした症状をもたらす有名なトリガーのひとつだった。症状は五分で終わることもあれば、二時間ほど続くこともある。マゲリーニは、患者をベッドに横たえて、ときには鎮静剤を服用させるのがいいと述べている。しばらく芸術から遠ざかっているうちに、みな症状が消えたという。

マゲリーニは百以上の症例をまとめ、男女別に分けたところ、この症状が起きるのは二十五歳から四十歳のあいだがもっとも多かった。この症状を経験した人たちは、ほかの作品の前でも同じことが起きやすい。マゲリーニはこの症例の本を出版し、その症状をスタンダール症候群と名付けた。以来、広く知られるようになった。エルサレムとパリがいちばんのホットスポットだ。しかしフィレンツェ以外では、この症状は確立したものとは見なされず、正式に認められておらず、『精神疾患の分類と診断の手引き』にも記載されていない。

ブライトヴィーザーは、スタンダール症候群の存在を知ったとき、衝撃を受けたという。ある医師が書いた論文には、彼と同じように「心臓が鷲づかみにされる」症状があったらしい。そうしたことを体験したのが自分だけではなかったことを知ってとても喜んだ。人類から疎外されている感じがわずかだが薄まった、と。

ブライトヴィーザーはどんな芸術作品にも反応するわけではなく、むしろたいていは反応しない。ただ、忘我の状態になると、その反応は直感的かつ急激で、たちまちうっとりとなってしまう。「芸術はぼくの麻薬《ドラッグ》なんだ」と彼は大きな声で言う。実際のドラッグには決して手を出さない、と彼は言う。煙草《たばこ》、カフェイン、アルコールは受け付けず、つきあい程度にワインをひと口飲むことはあるが、マリファナやほかの強い薬はやったことがない。しかし芸術作品の前にくると、頭がぶっ飛んでしまう。

ブライトヴィーザーがスタンダール症候群になったことと、芸術はドラッグだと感じていることについて、大勢の美術界の面々や刑事に訊いてみたところ、ブライトヴィーザーは嘘をついているだけだ、とだれもが答えた。スタンダール症候群というのは、時差ぼけと軽い熱射病の別名に過ぎない、という人もいる。ブライトヴィーザーが実際に中毒になっているのは窃盗だ、と彼に批判的な人は言う。美化された万引き犯だ。窃盗狂《クレプトマニア》なのだ、と。

ブライトヴィーザーはむきになってこれを否定する。盗みを楽しんでなどいない、盗みの結果を大事にしているだけだ、と主張する。自分の強迫観念は盗みにではなく、蒐集にある、とも言う。彼がどのような泥棒のタイプかを深く考察しているのが、スイスの心理療法士ミシェル・シュミットだ。シュミットはブライトヴィーザーと二〇〇二年に何度か面談し、三十四ページのアセスメントを発表した。ブライトヴィーザーは紛れもない社会の脅威だ、とシュミットは述べている。しかも、自分の犯罪が正当化できると考えることで自己欺瞞をおこなっている、と。しかし、シュミットのアセスメントのなかで、ブライトヴィーザーが病的な嘘つきだとか、窃盗をやめられない人物だと述べている部分はまったく見当たらない。

窃盗狂にとっては盗むという行為そのものが大事なので、特定の品を盗むことには頓着しない、とシュミットは注意を喚起している。しかも、窃盗狂は自身の犯した罪に恥辱と後悔を感じて、絶望的な気分になるのが普通だという。ブライトヴィーザーはその反対だ。何を盗《と》るか自分で決め、うまく盗めたときには大喜びする。「窃盗狂という診断は取り下げます」とシュミットは述べている。シュミットは、ブライトヴィーザーが盗むのは本当に芸術に対する愛情のためだと考えている。

　ブライトヴィーザーの弱みは、人の目を気にしているところだ。自分が特殊なケースではなく普通の泥棒だと見なされているのは、ひとえに警察や心理学者、さらには美術界の人々の多くが美について無知だからだ、とブライトヴィーザーは言う。彼らにはスタンダールのような反応が人に起きることが理解できない。それに彼は腹を立てている。自分の感じ方をどう証明すればいいのだろう。

　グリュイエール城の小塔でディートリヒの肖像画を見つめながら「心底驚いていた」、と彼は述べている。十分ほどその絵を見つめていると、動けなくなった。それからようやく何をすべきか理解する。小塔には防犯カメラは備え付けられていない。彼は地方の美術館が防犯意識が薄いことに嬉しい驚きを覚えることがよくある。警備員もいなければ、来館者も近くにいない。肖像画から目を引き剝がしてアンヌ＝カトリーヌのほうをちらりと見る。彼女は彼の好みの芸術スタイルを気に入っているが、スタンダール症候群といったような心酔の仕方ではない。彼女は恋人にひとかたならぬ愛着を持っているようだ。アンヌ＝カトリーヌは彼の目の合図に、わかったと目で合図を返す。

　彼は絵画を降ろすと、絵を取り出そうとして額縁の裏にある四つの薄い金具をずらす。それには車のキーの縁を使う。次に秘密の道具、スイス・アーミー・ナイフだ。額縁は小塔の高いところに隠し、壁のラベルはポケットに入れる。絵が外されたピザの箱くらいの大きさの壁の空間を隠すことはできない。壁にはっきりとした跡が残っている。

ブライトヴィーザーとアンヌ＝カトリーヌは歩いて城を出る。上着で隠しているこの作品は、ふたりで協力して盗んだ三つ目の美術品であり、初めての絵画作品だ。ふたりはグリュイエールの中世の村の長い道を歩いて駐車場まで行く。絵をスーツケースの中に入れると走り去る。しばらくして車を路肩に寄せ、心ゆくまで絵を眺める。それからスキーのスロープへ向かう。

第8章

一年のあいだに三つの美術館から作品を盗んだのは、すでに相当な離れ技といえる。ほとんどの泥棒は美術館に惹かれるのは一度きりだ。たとえ捕まらなかったとしても、一回でも窃盗が成功すれば二度とやろうとは思わないのが普通だ。

『モナ・リザ』を最初に盗んだ男は、八ヶ月間ルーヴル美術館で用務員として働いていた。一九一一年八月の月曜日、午前七時。労働着を身に着けたヴィンツェンツォ・ペルッジャは同僚たちとともに美術館に入った。その日は掃除をおこなうために閉館になるので、大半の警備員は非番になっていた。ペルッジャの仕事のひとつは貴重な作品の警備を強化することだった。そのためペルッジャは、『モナ・リザ』をフックのついた四つのボルトから取り外すにはどうすればいいか正確にわかっていた。それからペルッジャは従業員用の螺旋階段に入り込んで、そこで額縁を外し、だれもが知っている板——レオナルドは板に絵を描いた——をシートで覆い、盗んだ唯一の絵を抱えてパリの通りへ出ていった。

一九七五年、ボストン美術館で十七人の男たち——見張り、運転手、射撃の名人、用心棒、泥棒で構成されていた——は、手の込んだ襲撃を演出してレンブラントを盗んでいった。この窃盗事件はニュー・イングランドの高い知性の持ち主である犯罪者マイルス・コナー・ジュニアの手はずによるものだった。コナー・ジュニアは「メンサ〔一九四六年にイギリスで設立された高ＩＱ集団の国際グループ〕」のメンバーで、ビーチボーイズとツアーをやったことのあるギタリストだった。別の窃盗の折には警官をひとり撃って怪我をさせている。

一九八五年にメキシコ・シティのふたりの強盗が国立考古学博物館に偵察に入った。六ヶ月にわたって五十日のあいだ、建物の見取り図を手に入れ、防犯設備など難しいところを洗い出した。クリスマスの日の夜明け前、ふたりの強盗は通風ダクトを通って美術館のなかに入り込み、マヤとアステカの工芸品をカンバスの袋に詰め込むと、入ってきたところから忍び出た。警報装置を作動させることも、警備員と遭遇することもなかった。

二〇〇〇年のスウェーデン国立美術館の窃盗は、スウェーデン、イラク、ガンビア出身者からなる国際的な犯罪集団がおこなったもので、計画的に自動車を二回爆発させてから始まった。その爆発でストックホルムの中心部はパニック状態に陥り、美術館に通じる道路が通行不能になった。すでに美術館の構内にいた窃盗団は職員と来館者を銃で脅し、ルノワールとレンブラントを盗んだ。警察がやっとのことで爆発の残骸を乗り越えて駆けつけてきたときには、窃盗団はすでにスピードボートでストックホルム湾を横断して、市外へと逃げていた。その先でボートを捨て、略奪品を車に移し替え、走り去った。

ところが、多くの美術品窃盗犯が直面する難問は、事前調査や兵站《へいたん》業務などではない。防犯システムの裏をかき、展示品ケースの掛け金を外し、警備員を出し抜き、美術品を外にこっそりと運び出してから、本当の頭痛が始まるのだ。唯一無二の追跡のできる美術品――その映像がたちまちニュースになる――が、人に見られないでいられるわけがない。盗品は足《あし》枷《かせ》だ。盗品を展示するのは危険すぎる。人に売ろうとすれば、その危険度はいや増しに増す。『モナ・リザ』を盗んだペルッジャは、赤いシルクの布で包んだ絵を、パリの自分のアパートメントに運び込み大工道具を載せたトランクのなかに隠した。フランスの検察官とルーヴルの職員から尋問されたとき、ペルッジャは実に落ち着いた態度で、喜んで捜査に協力するという様子だったために容疑者から外された、と警察は後に発表している。ペルッジャは二年半我慢した。それから世界でもっとも有名な絵画を、「あらゆる種類の美術品を買い取る」という広告を出しているイタリア人ディーラーに売ることにした。たちまちペルッジャは逮捕された。『モナ・リザ』はルーヴルに無傷のまま返還された。

十七人の窃盗団、通風ダクトを通って逃走、そして車の爆破は映画のような展開かもしれないが、盗まれた作品の大半は奪還することができた。泥棒のほとんどは刑務所に入った。

犯罪者の多くは、たった一度の美術品の窃盗で捕まっている。唯一の例外がメンサのメンバーのマイルス・コナー・ジュニアで、彼はボストン美術館から盗み出すために十七人の仲間を集めた。

コナーの父親は警察の巡査部長で、母親は画家だった。一九六〇年代と一九七〇年代にニュー・イングランドにある少なくとも十二の美術館で窃盗をおこなっている。コナーも連邦刑務所に十年以上収監されていたが、いまも相変わらず歴史上の大泥棒のひとりで、美術犯罪のラシュモア山があれば、そこに顔が彫られるレベルだ。公立美術館が生まれて三百年になるが、個人または犯罪集団で十数点以上の作品を盗んだ者はわずかしかいない。

一九九五年四月、グリュイエール城で盗んでからひと月後のこと、ブライトヴィーザーとアンヌ＝カトリーヌはスイスに戻ってくる。この国の美術品の素晴らしさと自然の壮麗さはブライトヴィーザーの楽園のイメージそのものだ。美術館の内と外にある美。ゾロトゥルンの川のそばにある町の美術館は厳重な警備が敷かれているが、見物しているときにいきなり体が痺れ、彼は電光石火――「手を動かすにはそれで充分だった」――十六世紀の宗教画をつかんでいる。祭壇の一部だったイコンには、古代キリスト教の教父・聖ヒエロニムスの肖像が描かれている。聖ヒエロニムスは道徳的に生きることを説いた人物だ。美術品泥棒は邪悪である、宗教的な作品を盗むとなれば邪悪さも二倍になる、と聖ヒエロニムスは書いている。

聖ヒエロニムスが盗まれたことに美術館側はすぐに気づくが、それほど「すぐ」ではない。ブライトヴィーザーたちはすでに美術館から遠ざかっている。自分たちの犯罪は、機関銃と爆弾の代わりにヒューゴ・ボスのスーツとシャネルのスカートを身に着けておこなっているので、目撃者の証言から身元が割れることはない、と彼は信じていた。窃盗がうまくいくのは圧倒的な力を行使したときではなく、だれにも気づかれずにひっそりとおこなえたときだ、と彼は言う。美術館に入ると、自分はお洒落な衣類でカムフラージュしたハンターだと思う。人がひしめく美術館で、泥棒の姿を詳しく述べられる者はひとりもいない。あるいは、この人よ、とだれもがそばにいる人を指差して、だれもが容疑者になる。聖ヒエロニムスの肖像画の盗難を報じた新聞記事には、警察はこの盗みに何人かかわっていたか、そのうちのひとりがどんな外見をしていたかわかっていない、とある。

ブライトヴィーザーとアンヌ＝カトリーヌは、自分たちの犯罪が書かれた記事をすべて集めている。速報記事は、警察がどこまでふたりの正体に迫ってきているかを知るうえで大きな情報源だ。これまでに四つの美術館で盗みを働いた──フランスで銃と弩《いしゆみ》、スイスで絵画と聖ヒエロニムスのイコン──が、ブライトヴィーザーは新聞を読んで確信を持っている。この四件の犯罪が同一人物の仕業かもしれない、あるいは連続窃盗事件なのかもしれないと考えている警官はひとりもいない、と。このような新聞記事もスクラップブックに貼り付け、四柱式ベッドの天蓋の上に隠している。ブライトヴィーザーはこのスクラップブックを取り出し、記事を再読してはほくそ笑む。この犯罪を調査している警官たちが、これは貴族的であっぱれな窃盗だと考えている姿を思い描く。

優雅な服装で旅行するために、ふたりは倹約している。身に着けている衣類は、エマウス〔ホームレスの支援団体〕のショップや救世軍のフランス支部で買った中古品だ。たいてい、十USドルほどで手に入れている。祖父母からの資金——ひと月に千ドル以上をもらっている——に加え、部屋をただで貸して食事まで作っている母親からも小遣いをもらっている。彼には失業手当が支払われ、アンヌ＝カトリーヌはひと月千五百ドルを稼ぐ。それで充分にやっていかれる。

盗みはすべて、アンヌ＝カトリーヌの仕事を考慮して週末におこなわれている。彼女の危険への耐性度はブライトヴィーザーよりはるかに低い。美術館で何度も、彼が盗もうと言っても彼女がだめだと却下したことがある。彼女は警備員や観光客、防犯カメラに対して敏感に反応する。その顔からはなにも読み取れないが、美術館のなかに入ると非常に神経質になり、警備態勢が緩《ゆる》かろうが彼の意志が強かろうが、だめなときには一切受け付けない。彼の背中にぴたりと収まるに違いない、額縁が外された絵画がすぐそばにあっても。上着やバックパック、ハンドバッグのなかにすっぽりと収まってしまうほどに小さな彫刻であっても。

アンヌ＝カトリーヌの窃盗感覚の素晴らしさは、ブライトヴィーザーの熟練の技とはまったく違う。ブライトヴィーザーには警備の欠点を指摘できる超人的な技があるが、アンヌ＝

カトリーヌは直感でそれがわかる。ふたりのことを怪しいと思って警戒している人物の存在に、彼より早く気づく。彼がレーザー光線のように見ているとすれば、彼女は全景を見ている。この陰陽の力がふたりの並外れた窃盗術の核になっている。ブライトヴィーザーは彼女が反対すると、たいてい言い争うことなく盗みを中断する。「彼女の直感を信じているんだ」と彼は幾度となくメディアの取材中に話している。とはいえ、その作品のことがどうしても忘れられないときには、彼女が仕事に出ているあいだに単独でその美術館へ戻る。彼女はその窃盗について彼から直接聞いたり、屋根裏部屋に新しい作品があるのを目にしたりするのでわかる。アンヌ＝カトリーヌは彼の単独行動を納得しているわけではないが、大目に見てくれている、と彼は言う。

単独行動で、前足で仔羊を押さえつけている木製の大きなライオンをかっさらう。生け贄を捧げて罪を贖《あがな》うアレゴリー〔抽象的な事柄を具体的なイメージを用いて表現すること〕だ。この彫刻は見ている分には心地よいが、上着の下に隠すと軽量ブロックのように膨らむ。彼は体の前に大きな腹のようにそれを抱え、よちよちと歩いて出ていく。ブライトヴィーザーは、美術館のなかでは透明人間になれると思っている。身長は平均より低く、一七〇センチそこそこで、柳の枝のようにほっそりとしなやかで、青白い肌に黒髪、赤ん坊のような頬をしている。部屋に入り込み、そこの雰囲気とすっかり溶け合う。人が、それどころか警備員がそばにいても、盗むことができる。

「ステファヌ・ブライトヴィーザーの傑出した点は」とスイス人心理学者ミシェル・シュミットは語る。「あまりにも普通なので、だれにも気づかれないという点ですよ」。ただ、サファイヤブルーの射貫くような大きな目と、それを際立たせている濃い眉だけは人目に付く。彼はあらゆることをみごとなまでに秘匿しているにもかかわらず、その目だけは恐ろしく読み取りやすい。彼の魂の窓であり、玄関でもある。美の前に立つと喜びのためか、はたまた悲しみのせいか、憚《はばか》ることなく目を大きく見開いて、たちまち瞳を潤ませる。彼はとてもよく泣く。

アンヌ＝カトリーヌは単独で盗みを働くなど考えもしないだろう。彼女の目からは何を考えているのかまったく窺い知れない。美術館を去る前に作品に手を触れることはめったにない。彼が彼女のハンドバッグを使うのは、十回のうち一回くらいだ。彼女は正確には泥棒ではないが、まったく泥棒ではない、とも言えない。魔術師の助手のような役割だ。つまり、トリックがおこなわれているあいだその後ろを動きまわりながら、観る者の豊かな好奇心をゆっくりほかへと逸《そ》らすことに専念している。また、必要とあらば、彼の横溢するエネルギーを抑制し、ときには手を貸したりもする。

あるとき、フランスの美術館のそばに車を停めていると、ブライトヴィーザーがアンヌ＝カトリーヌに、今日は盗みはやめることにするからスイス・アーミー・ナイフは車に置いていく、と伝える。しかしたちまち、キリスト教の使徒が描かれた木炭画に我を忘れる。その木炭画は、アクリル樹脂の展示ケースの下に置かれたテーブルの上に平らに展示されている。展示ケースの四隅を留めているのはボルトだ。アンヌ＝カトリーヌはバッグのなかをあさり、彼に爪切りを渡す。彼は二本のボルトをなんとか外す。展示ケースを持ち上げるが、その下に指を入れることができない。アンヌ＝カトリーヌの指ならできる。それで彼女がその絵を取り出す。ブライトヴィーザーが絵を持ち出す。

彼には、アンヌ＝カトリーヌが関与した盗みが単独の犯行より安全であることがわかっている。安全に決行するには彼女の休日である週末を待たなければならない。たいていは待っている。一九九五年の春と夏、最初に盗みを働いてからわずか一年後、ブライトヴィーザーとアンヌ＝カトリーヌは驚くほどのパターンを作り出す。戦争時以外で美術窃盗をおこなっただれよりも素早く、そして平和裏に美術品を盗み出す。スイスとフランスを行き来し、少なくとも車で一時間ほど、多くて二時間か三時間で移動できるところにある美術館を狙う。二ヶ所の観光地を訪れることになっても、ヨーロッパには美術館がいたるところにあるのだ。それに四回の週末のうち、三回は盗みに成功している。十七世紀の戦争を描いた油絵、彫刻の施された戦斧《せんぷ》、装飾のついた手斧、もう一本の弩。十六世紀の鬚《ひげ》を生やした男を描いた作品。花模様が描かれた皿。小さな真鍮の分銅のついた真鍮の薬剤師の量《はか》り。

これで盗品は一ダースになる。ブライトヴィーザーは美術犯罪の歴史的な数を競うために盗みを働いているわけではない。彼にはよくわかっている。父親の所有していた美術品よりも優れたものをたくさん手にしたいだけだ、ということが。そして彼の屋根裏の壁に作品を華々しく飾り、アンヌ＝カトリーヌとベッドで絡み合ったままずっと眺めていたいだけだということが。心に開いた穴を塞ぎたいのだが、いくら大量に盗んでもその穴を埋めることはできないような気がしている。

第9章

盗みを働いた週末の翌月曜日、アンヌ＝カトリーヌは仕事に出かけ、ブライトヴィーザーは図書館に行く。彼が車で向かうのはミュルーズの地元の図書館か、ストラスブール美術館付属の図書館、あるいはスイスのバーゼル大学にある美術史のコレクションだ。たいてい平日はその三ヶ所を訪れる。

図書館では、『ベネズィット芸術家辞典』を読み、画家、時代、スタイル、地域といった基本的なことを頭のなかに叩き込む。この辞典は、知識欲の塊のような美術愛好家にとって、贅沢極まりないフランスからのプレゼントで、十四巻二万ページもある。彼は画家の解題目録、有名な作品の註釈を詳細に調べる。絵画の出所を探し、かつての所有者たちを覚える。ドイツ語、英語、フランス語で読む。アルバイトなどがないときや盗みに出かけないときには、こうして終日を過ごしている。

盗んだ作品は一点一点それぞれフォルダーに分類し、屋根裏のファイルボックスに保管する。各フォルダーには本に入っていた写真のコピーがあり、子どもっぽい文字で彼が書いた説明付きの索引カード、拙《つたな》い線画には詳細と寸法が記されている。屋根裏にある彼の個人図書館は祖父母に資金を出してもらったもので、五百冊以上が収められている。銀細工職人、象牙の彫刻家、エナメル職人、刀鍛冶についての学術論文を読む。図像学、寓意、象徴について調べる。弩《いしゆみ》に関しては手に入るあらゆるものを読んでいる。歴史書を貪《むさぼ》り読む。アルザスに関するだけでも五千ページ以上は読んだ。

『アダムとイヴ』の象牙像を盗んでから、彼は何日もかけてこの彫刻家について学んだ。彫刻家ゲオルク・ペーテルは孤児で、バイエルンで育った。早熟の天才で、硬い素材を滑らかで柔らかにみえる作品に仕上げることができた。ペーテルの才能に大変感銘を受けたドイツの王家が彼を宮廷彫刻家として招聘し、あっという間に成功を手にすることになるはずだった。ところがペーテルはこの誘いを断る。それよりも自由に創作に携わる時間と束縛なく旅行する自由を求めた。そしてアントワープでペーター・パウル・ルーベンスと出会う。一世代年上のルーベンスの指導を受けて助言を得る。ペーテルはその返礼として感謝の意を込めて『アダムとイヴ』をルーベンスに贈った。しかしペーテルは、卓越したその能力を思う存分発揮するチャンスを与えられなかった。一六三五年、三十四歳という若さでペストで亡くなった。

本を読めば読むほど、彼の欲望は限りなく深くなる。ブライトヴィーザーとその恋人は、緊張感みなぎる盗みのパターンを守っていたが、それより回数が増えることもあった。一九九五年八月のある週末、スイスの湖畔にあるシュピーツ城で、一度にふたつの作品を盗む。十六世紀の騎士の兜《かぶと》（彼のバックパックにすっぽりと入った）と、手吹きガラスの砂時計（兜のなかに収まった）だ。それからふたりはその同じ日に、別のふたつの美術館からも盗んだ。昼食の前と後に。

ふたりは生まれついての泥棒で、危険もうまくかわし、並外れた落ち着きがある。とはいえ、盗みがそれほどまで成功したのには、耳の痛い真実によるところが大きい。まず、田舎の美術館の多くは驚くほど防犯意識が低く、大半は来館者の善意に頼っている。美術館を防犯する行為がいかにも逆説的に思えるのは、美術館の使命は貴重な美術品を隠すのではなく、来館者にできるだけ作品のそばで、防犯装置に邪魔されずに鑑賞してもらうことにあるからだ。あらゆる美術館で犯罪を永遠に起きないようにするのは簡単だ。作品を金庫室に入れて鍵を掛け、武器を携帯した警備員に守らせればいい。もちろん、これは美術館の終わりをも意味する。その場は、銀行と呼ばれる場所になる。

美術館に入るたびにブライトヴィーザーが指摘するように、美術館は芸術作品との親密な邂逅を提供するという問題に苦しんでいる。警備員を増やしたり、警戒線を広げたり、展示ケースを厳重に守ったり、絵画をガラス付き額縁に入れたり、防犯カメラを増やしたりしても、状況は改善しそうにない。もしブライトヴィーザーが盗みに入った多くの美術館が危険なまでに無防備すぎるというなら、それは美術館というものがそういうところだからだ。

低予算の美術館の館長は、安全面について話すのは気が進まないようだが、美術館は、カンバスに縫い付けることのできる長細い追跡装置などの最新の防護手段に予算を計上するより、新たな作品を手に入れたほうがいい。人を集めるのは、厳重な警備態勢ではなく、新しい芸術作品なのだ。

田舎の美術館には、暗黙の社会的な協定がある。美術館はできるだけ警備を緩《ゆる》くした状態で貴重な作品を人々に間近で鑑賞してもらう。そのお返しに人々は、その作品を落ち着いて鑑賞し、その地域と文化のエッセンスの含まれたそうした作品が社会全体の財産であるという考えを全員で共有すべきなのだ。ブライトヴィーザーとアンヌ＝カトリーヌは、この公共の精神に巣くう癌《がん》である。彼は美術品を自分に褒美として与え、ほかのすべての人たちから鑑賞する権利を奪っている。

美術館が正しい運営をし、資金と支援を適切な安全対策に回しても、ブライトヴィーザーの犯罪を止めることはできないだろう。一九九五年九月、このふたりはバーゼル大学の構内にある美術館にやってくる。この大学は、ブライトヴィーザーの大好きなスイス美術図書館のすぐ近くにある。あるパンフレットによれば、彼が追い求めている作品がこの美術館の展示物のなかにあるのだ。オランダの黄金時代の画家ウィレム・ファン・ミーリスのちょっと変わった油絵で、薬剤師とその助手が薬を用意しているところが描かれている。情感の溢れるスタイル、写実主義でありながら不合理な構成になっていて、その最たるものが薬剤師の助手たちの姿に表れている。子どもがひとり、天使がふたり、鸚鵡《おうむ》が一羽、猿が一匹いて、それが助手なのだ。ブライトヴィーザーはこの絵を見た瞬間、嬉しい衝撃を感じ、笑みを浮かべないわけにいかない。

防犯カメラがこの貴重な作品を正面から映している。ブライトヴィーザーとアンヌ＝カトリーヌはカメラに映らないところからその絵を見つめているが、普通、カメラがあれば盗みをする気が失せるものだ。ところがブライトヴィーザーが人のいない椅子を見て、状況は一変する。アンヌ＝カトリーヌに椅子に人がいないことを話し、もし、これで彼女を説得したら、決まりを無視してくれるかもしれないと思う。アンヌ＝カトリーヌも薬剤師の絵に興味を持っていることが明らかだ。いつもなら盗みに対して禁欲的な雰囲気を漂わせている彼女が、今回ばかりは明るい雰囲気を纏《まと》っている。この絵がふたりに泡立つような活気をもたらしたようだ。美のシャンパンだ。彼と同じようにアンヌ＝カトリーヌも、この作品をベッドの温もりのなかから眺めるのはきっと愉しいだろうと思ったのかもしれない。彼女が計画を実行する許可を出す。

カメラのレンズに堂々と背中を向け、まっすぐに前を向き、首を微動だにせず、彼は注意深く絵のほうへ近づいていく。カメラの視界に入ってくると彼の体が映像に映される。彼はじわじわと薬剤師の絵の後ろに片手を伸ばすと壁のフックからワイアを外し、もう片方の手で絵を壁へと押しつけている。

背中をカメラに向けながら、彼はぎこちなく左側に数歩進み、絵画を横に滑らすように動かし、レンズから姿を消す。それから額をその場で外す。三枚の板が結合した作品は、予想していたより少しばかり大きく、コートの下や彼女のバッグのなかに隠しおおせない。アンヌ゠カトリーヌがその日の買い物を入れた紙製のショッピングバッグを持ってきているので、ブライトヴィーザーは選択の余地なく、そのバッグに絵画を押し込むが、完全に隠しきれていない。彼がそのバッグを手にし、ふたりは出口へ向かう。美術館に到着してからわずか十五分間の出来事だ。

たいていの美術館では、受付の背後の関係者しか入れない場所にビデオ・モニターのブースがある。チケットを買う際にそのブースのなかをちらっと覗けるときがある。バーゼル大学美術館に入ると、ブライトヴィーザーはライブ映像を流している一列になったいくつもの小型の画面を見た。薬剤師の絵を映しているものがあった。美術館の警備員をしていた経験から彼は、防犯カメラのシステムを使う訓練を受けた警備員はほんのわずかしかいないことを知っている。ひとりしかいないときもある。交代要員がいないときでも、ビデオ・モニターのブースから出て食事休憩を取ることが許されている。

ブライトヴィーザーはそのことを前から知っていたが、それがどんな利益を生むのかはわかっていなかった。彼とアンヌ＝カトリーヌがバーゼル大学美術館に着いたのは正午を少し回ったころで、警備室のモニターの前にはだれもいなかった。このとき、彼はいいことを思いついた。

見ている者がいないのなら、カメラに映ってもかまわないじゃないか。どんなカメラにも自分の顔や彼女の顔を映させずに事をなしとげる自信がある。しかも、昼休みが終わる前に、そして警備室の担当者が、普段なら薬剤師の絵を映しているはずのモニターに空っぽの壁だけが映っていることに気づいて警報器を鳴らす前に、なんとしても美術館から出ていなければならない。ブライトヴィーザーの思いつきは功を奏した。ふたりが立ち去った直後に、絵が盗まれたことが発覚した。アンヌ＝カトリーヌとブライトヴィーザーはこれまであらゆるカメラを避けることに成功してきたが、この一台のカメラは彼の姿をとらえていた。そのビデオが再生されたときに職員や捜査官たちが目にしたのは、茶色の短髪で灰色のどこにでもあるサマーコートを着た、平均より背の低い男の背中だった。身元不詳の平凡《ミスター・オーディナリー》さんだ。

第10章

ブライトヴィーザーの二十四歳の誕生日にあたる一九九五年十月一日の日曜日。その朝、彼の車は満員だ。アンヌ＝カトリーヌと彼の母親、そして母親のダックスフントが、青い小さなオペルに乗り込み、ドイツ国境を越える旅に出るところだ。三人は、枯れ枝や枯葉が敷き詰められた「黒い森」を散策し、車でバーデンバーデンのスパを通り過ぎ、丘の天辺《てっぺん》に建つ巨大なニューカースル〔新しい城〕へ行く。新《ニュー》しいと名が付いていても、ここはヨーロッパなので、六世紀前の建物だ。

　三人を乗せた車は跳ね橋を渡り、ニューカースルの構内へ入る。サザビーズ・オークション・ハウスは、大規模な遺産整理オークションのための内覧会を主催している。この城の一〇六の部屋すべてにさまざまな作品が展示されている。ブライトヴィーザーはあらかじめメールでこのオークションのカタログを注文し、写真に写っていたある作品の虜になっていた。誕生日のプレゼントとして評価の高い作品を自分に贈ることができれば、屋根裏部屋の価値が一段とあがることになる。ただし、今回は母親がいっしょにいる。

ブライトヴィーザーは、母親とはめったに会話をしないと主張している。しかしこれは、ふたりが批判的な父親に対して結束し、かなり強い結びつきがあった彼の若いころに比べたら、ということにすぎない。いまでもふたりは同じ家で暮らしている。屋根裏にはバスルームがないので、彼とアンヌ＝カトリーヌは頻繁に階下へ行く。三人はほとんど毎晩のようにともに食事をし、週に一度は彼の祖父母の家を三人で訪れている。母親は誕生日の旅行にも参加している。つまりブライトヴィーザーの言い分では、実に多くの時間をいっしょに過ごしているにもかかわらず、美術品を盗むという彼の人生の中心的な活動のことが一度も話題にのぼらなかった、ということになる。三人のあいだには気詰まりな空気が流れていたに違いない。

彼はそんなことはない、と言っている。犯罪のことは実にうまく隠しおおせている、と。母親のミレーユ・ステンゲルは、息子をどのくらい疑っていたかについて話そうとしない。ステンゲルはアンヌ＝カトリーヌと同じように、記者の取材に応じるつもりはないので、彼女の家庭生活の実体は謎のままだ。ブライトヴィーザーがビデオで撮ったものがわずかにあるだけだ。しかし、ステンゲルは何度か捜査官と話をしたことがあり、その供述書は読むことができる。

彼の母親はニューカースル城のなかには入らない。犬の同伴は禁じられているからだ。ステンゲルは息子とその恋人が急いで城に入っていくと、犬を連れて庭園を歩く。ふたりは複数のヘラジカの頭部、黒檀の家具やカッコー時計などが飾られた部屋を通り抜け、ロット番号一一一八のある三階の展示室へ行く。ようやく彼の頭を占領していた作品の本物にまみえる。息子のルーカス・クラナハが描いた『ジビレ・フォン・ユーリヒ＝クレーフェ＝ベルク』、十六世紀の王女の絵だ。クラナハとその父ルーカス・クラナハは、ルネッサンス期ドイツの偉大な画家である。

ブライトヴィーザーはこの傑作の緊密な細部に魂を抜き取られている。「彼女のドレスの糸の一本一本、彼女の青い静脈の一本一本が見える」。板に描かれた小さな作品で額縁がなく、単行本くらいの大きさしかない。このクラナハは素晴らしい保存状態で、何百万ポンドもするだろう。サザビーズは一七四四年からあらゆる作品を扱っているので、警備をけちったりはしない。一軍隊ほどの警備員が城のなかにいて、展示室ごとに必ずひとりかふたりはいる。日曜日なので大勢の人がいる。テーブルの上のイーゼルに立てかけられている『クレーフェのジビレ』は、部屋の中央に座す太陽のように鮮烈だ。ドーム型のアクリル樹脂の展示ケースに覆われている。これは手強《てごわ》いし、実行するのは自殺行為だ。「ばかなことはやめて」とアンヌ＝カトリーヌが小声で言う。

確かにこれは「カミカゼ・ミッション（自爆行為）」のようだ、と彼は認める。その作品に手を出すなという直感には、今後もずっとこの仕事を続けるつもりならば、いくら気が進まなくても従うべきなのだ。この傑作を盗めば騒動が勃発し、さらに警官の監視が厳しくなる。ブライトヴィーザーとアンヌ＝カトリーヌは新聞の記事を読んでいたので、このまま続ければ警察に捕まることになるのがわかっている。このような盗みは警官も必死で捕まえようとする。クラナハの作品を盗まなければいい。ここで自制を学ぶことが誕生日の本当のプレゼントなのかもしれない。ふたりはその絵画を諦めて部屋を出た。

ブライトヴィーザーはゆっくりと歩きながらさらにいくつかの展示室を回ってみるが、心はあの場所にしっかりと繋ぎ止められている。精密に描かれたあの宝飾品、シビレのドレスのあの刺繍、星のようなあのきらめき。作品のいちばん下には翼のある小さな蛇がいた。これはクラナハ家の記章だ。テーブルの上でクラナハを収めているアクリル樹脂のケースの鍵は掛かっていない。それを押し上げるだけでいいのだ。作品のそばで待っていれば、瞬《まばた》きするあいだに、音もなく見られることもなく鷲づかみにし、二階へ降り、十二人の警備員の前を通り過ぎて出ていける。それぞれの動きは完璧だ。その動きを繋げていけばいいのだ。誕生日はその人物の能力を確かめるにふさわしい日に思える。

彼の母親を長いあいだ外で待たせておくわけにはいかないが、アンヌ＝カトリーヌはほんの一瞬なら『クレーフェのジビレ』のところへ戻ることを黙認する。日も暮れかけていて、人もだいぶ少なくなった。警備員たちの警戒心も薄まっている。クラナハの部屋に割り当てられた警備員が戸口のところに立ち、同僚と話をしている。すでに、チャンスは生まれている。観光客と警備員のいる狭い展示室のなかは、ひとりひとりの動きがよくわかる。ブライトヴィーザーは、動きを確認しようとする。いまだ、と感じ、数秒待ち、アンヌ＝カトリーヌを見る。警備員たちの動きを目で追いかけていた彼女がかすかに頷く、大丈夫、そして彼は動き出す。

展示ケースを押し上げてクラナハを手にし、オークションのカタログのページのあいだに差し挟む。ケースをもとの場所に戻すとき、作品を支えていた小さなイーゼルにぶつかってしまう。大失態だ。イーゼルのプラスチックのスタンドが木のテーブルにぶつかり、雷鳴のように彼の耳に轟《とどろ》く。いまできることと言えば、動きを止めずに続けることだけだ。ひっくり返ったイーゼルの上にケースを被せるように置き、振り返ってどうなっているか確かめる。

展示室のなかは人の声ばかりだ。運がいいとしかいいようがない。だれも事態の重大さに気づいていないようだ。彼とアンヌ＝カトリーヌはすぐにその場を離れ、階段を下り、出口に向かう。ドアのそばにいる警備員たちは上着を着て、ネクタイを締め、無線に繋がっているイヤーピースをつけている。すでに盗難があったことを知らされているかもしれない。ブライトヴィーザーは足取りも進む方向も変えず、アンヌ＝カトリーヌも同じ歩調で歩く。危険を冒すことはふたりにとって伸《の》るか反《そ》るかだ。自由か監獄かだ。だれもふたりの行く手を阻もうとしない。それでふたりは外に滑り出る。

母親は犬といっしょに苛立たしそうにふたりを待っている。三人は急いで跳ね橋を渡り、車へ向かう。ブライトヴィーザーがハッチバックを開け、そのなかに、肖像画の挟まったオークションのカタログを置く。三人が座席に収まる。リンリンという音が頭のなかで鳴り響くなか——「ぼくは二十四歳でクラナハを持ってる。二十四歳でクラナハを！」——彼は誕生日の夕食をいっしょに食べるために、祖父母の家へ車を走らせる。

彼の問題点とはなんなのか。

彼は窃盗狂ではない。スタンダール症候群と認定されたとしても、数々の犯罪が明らかになるわけではない。この症候群を命名したイタリア人医師が見出したすべての病人のなかで、美術品を盗んだ者はひとりもいない。ブライトヴィーザーを苦しめている深刻な精神的な病、犯罪精神障害といった病気があるかのように思える。彼とアンヌ＝カトリーヌはこの半年のあいだ、四週間のうち三週間は盗みを働き、いまも続けている。異常な事態だが、ブライトヴィーザーによれば、このペースがいちばん自然で持続可能だという。異常すぎる。治療を受けたほうがいいレベルだろう。

それは無理ですね、と心理療法士のシュミットは言う。犯罪精神病は治療できないのだ。

ほかのセラピストもそれに同意する。ブライトヴィーザーは自分から進んでシュミットに会おうとはしなかったが、ほかの心理学者には会い、その報告書が公表されている。司法によって彼は検査を受けさせられた。それでセラピストたちは彼の犯罪を知ったのだ。「心理学者はぼくのことを、研究したくてたまらない珍奇なものであるかのように扱ってる」とブライトヴィーザーは言う。「みんな、ただのくだらないクソッタレだよ」

二〇〇二年に、シュミットはブライトヴィーザーに昔ながらの面談をおこない、一連の心理テストをおこなった。そのなかにはミネソタ多面的人格目録、スピルバーガー状態・特性不安検査、レーヴン漸進的マトリックスが入っていた。シュミットによれば、ブライトヴィーザーはナルシストだ。自分が預言者なのだと思い込んでいる美術窃盗犯で、合法であれ違法であれ、自分のすべての欲望に名前を付けるべきだと思っている。彼は礼儀や法律を軽んじ、他人を気遣ったり後悔したりしない。そして、他人の私邸から盗んだことも、暴力沙汰になったこともないので、おのれの犯した盗みに被害者はいないと考えている。

「一瞬たりとも思ったことはないでしょうね」とシュミットは言う。「世の中の人がみんな彼のようだったらこの社会はいったいどうなるか、といったことをね」

ストラスブールの心理学者アンリ・ブリュネールは二〇〇四年にブライトヴィーザーを診断して、こう報告している。「彼は明らかに、他者に批判的で、手がかかり、苛々させられる――早い話、未熟なのだ」。一九九九年にブライトヴィーザーが会った精神科医のファブリス・デュバルは、こう記している。「結果を考えず、直情を表す」と。

息子の気まぐれに迎合する母親に甘やかされたため、彼は「現実世界における苛立ちと折り合いをつけることを学ばなかった」とシュミットは分析している。別の言葉で言えば、彼はガキなのだ。その資質が変わることはないだろうが、ブライトヴィーザーが司法を尊重し、社会的な絆を作り、盗みをやめ、ちゃんとした治療を喜んで受けるようになれば変わるだろう、とシュミットは述べている。しかし、そういったことが起きるとは考えにくい、とも述べている。

アンヌ＝カトリーヌも二〇〇二年に司法の命令で、フランスの心理学者セザール・ルドンドと面談した。ルドンドの報告書には、「アンヌ＝カトリーヌは十分な知的能力はあるが」――これは、そのつもりがなくとも相手を貶《おとし》めているように聞こえる心理学用語だ――「傷つきやすい性質」であり、他人に支配されやすい、とある。さらにルドンドは、アンヌ＝カトリーヌがブライトヴィーザーの言いなりになって盗みに加わったという見方を示している。そして、「彼女にはノーと言うだけの強さがなかった」と記してもいる。彼女には深刻な心理学的な欠損は見られず、自ら犯罪をおこなうような傾向もない、と断ったうえでルドンドは、すぐに心理療法を受けるよう彼女に勧めている。

ブライトヴィーザーは現実から乖離してはいない、とセラピストたちは述べている。善悪を理解している。その知的能力は申し分ない。鬱状態の話も、気まぐれなところも、治療ができないというレベルではない、とシュミットは言う。数少ない経験だが、ウェイターとして働くことができたのだから、社会をとことん嫌悪しているわけではない。ストラスブールの心理学者ブリュネールは、ブライトヴィーザーにはブリュネールの判断を変えるような心理的な異常も神経的な異常も見られない、と言う。ブライトヴィーザーは自身の行動を制御しているし、盗みをするのは病気の症状が表れたからではない、と彼は分析する。これにより、心理学者たちはブライトヴィーザーが犯罪精神病質《サイコパシー》であるという議論を進める手がかりを失った。

ブライトヴィーザーは自己中心的な人格障害と反社会的人格障害の症状を呈している、とシュミットは言う。このふたつの障害は、凶悪犯によく見られるが、ブライトヴィーザーの犯罪行為の基盤を説明できるものではない。ブルナーは、ブライトヴィーザーがなんらかの心理的な理由から盗みの誘惑から逃れられずにいる、と推測している。だれもが美術館で同じことを考える。「これが自分の部屋にあったらどんなにいいだろう」と。しかしブライトヴィーザーだけがそのばかげた願いを払いのけることができないのだ。その願いはわれわれにとってパン屑ほどの軽さなので払いのけられるが、彼にとっては大岩なので、払いのけられるものではない。

窃盗犯罪についてブライトヴィーザーが当初述べていた言い訳は、父親に復讐するというものだったが、それはもう通用しない。彼のコレクションは父親のコレクションをとっくに凌駕している。屋根裏の財宝はたちまちルーヴル美術館のひとつの展示室くらいになりそうだ。アンヌ＝カトリーヌは、少なくともある時期から盗みのスリルの完全な虜になったようで、恋人を喜ばせるのに熱心になり、世界一のペースで盗みをする彼に進んで協力した。たとえ彼女が、この屋根裏には美術品が足りていないからもっとたくさんほしい、とわざわざ口に出しては言わなくとも。ブライトヴィーザーは、明確な理由などなく盗み続け、これまで以上に活気づいている。

彼は、自分には盗む理由がある、と言い張る。図書館にこもって美術史について勉強している時期によく追いかけていたのは、犯罪の歴史だ。『サン・マルコの馬』は自分が盗み出せるような作品ではないが、盗みを働く理由のひとつだと彼は言う。実物大に作られた銅製の四頭の牡馬は躍動感を伝える最高傑作で、紀元前四世紀のギリシアの天才彫刻家リュシッポスの作品だと信じられているが、専門家はこの作品の来歴は判然としていないとしている。この銅製の馬はその四百年後に皇帝ネロの軍隊によって略奪され、ローマに設置された。

ローマ皇帝コンスタンティヌスは、ネロ時代より三世紀後にこの馬を奪い取り、コンスタンティノープルにある二輪戦車競技場ヒッポドロームに飾った。闊歩《かっぽ》する四頭の姿はその場所に九百年ほど置かれていたが、一二〇二年の野蛮な第四次十字軍のときに略奪され、それから六世紀にわたってヴェネツィアの中央広場にあるサン・マルコ大聖堂のバシリカの正面に設置されていた。ところが、一七九七年のナポレオンのイタリア出征のときに持ち去られ、ナポレオンが天井のない四輪車に載せてパリの通りをパレードし、ルーヴルの正面アーチに据え付けた。ワーテルローの戦いの後でイギリスの軍隊がこの四頭の馬を押収したが、本来の場所に戻すことを決めた。本来の場所とは、ギリシア、トルコ、ローマになるが、結局ヴェネツィアに帰った。

美術の歴史というのは窃盗の歴史でもある、とブライトヴィーザーは言う。文字文化の初期の時代におけるエジプトのパピルスには、墓荒らしの非道を非難する記述がある。バビロニアの王ネブカドネザル二世は、紀元前五八六年にエルサレムから聖櫃《せいひつ》を奪った。ペルシアはバビロニアのものを盗み、ギリシアはペルシアを襲撃し、ローマはギリシアのものを奪い取った。ヴァンダル人はローマの財宝を破壊した。フランシスコ・ピサロとヘルナン・コルテスは十六世紀初頭にインカとアステカの文明を滅亡させた。スウェーデンのクリスティナ女王は一六四八年にプラハから一千点の絵画を略奪し、部下の将軍たちの報酬を美術品で支払った。

ナポレオンは盗んだものをルーヴル美術館に寄付し、スターリンはエルミタージュ美術館に寄付した。若いころは水彩画家で、ウィーン美術大学から二度も不合格をくらったヒトラーは、故郷オーストリアのリンツに美術館を造る計画を立て、世界中の重要な作品をすべてそこに収めるつもりでいた。大英博物館が啓蒙運動の真っ盛りの一七五九年に開館した当初、最重要作品はナイジェリアから盗んできたベナンのブロンズ像、エジプトから奪ったロゼッタ・ストーン、ギリシアのパルテノンから外してきたエルギン・マーブル〔古代ギリシア・アテナイのパルテノン神殿を飾っていた大理石の彫刻〕だった。

美術品ディーラーとオークション・ハウスは最悪だ、とブライトヴィーザーは言う。糞のほうがまだましだ、と。紀元後一世紀の博物学者の大プリニウスは、ローマ帝国の美術品業者の不誠実な商売の仕方を記している。二〇〇〇年九月には、クリスティーとサザビーズ・オークション・ハウスは価格操作をおこない、売り手と買い手を欺いた罪で五億一二〇〇万ドルの罰金を科せられた。胡散臭い人々はこの二千年の歴史のあいだ、胡散臭いものを売り続けてきたのだ。

ブライトヴィーザーは、自分が集めた盗品ひとつひとつにはそれを盗まなければならなかった理由がある、という。美術界の者はみな、ある意味では盗人なのだ、と。気に入ったものは自分で盗《と》らなくても、別の者が盗るだろう。なかには、業者に現金を送って作品を奪わせる者もいる。ブライトヴィーザーはスイス・アーミー・ナイフで作品を手に入れている。少なくとも、彼は美術界の永遠なる悪の巣窟におけるもっとも手強《てごわ》い悪党だ。しかも彼の話したことがすべて明らかになれば、それは彼の夢でもあるが、彼はヒーローとして美術史に書き記されるかもしれない。

第12章

サザビーズのオークションでクラナハを盗み、誕生日の夕食をとった後、ブライトヴィーザーとアンヌ＝カトリーヌと彼の母親は帰宅する。夜も遅い。母親は自分の部屋に入り、男女ふたりはオークションのカタログを手に二階へ行く。ふたりは部屋の扉の鍵を開け、部屋の中に入るとまた鍵を掛ける。それからふたりはベッドで身を寄せ合い、カタログから『シビレ』を取り出し、その絵画を両手に載せる。額縁もガラスもなく、観光客も警備員もいない。

ふたりは絵の裏にも注目する。封蠟《ふうろう》がいくつも施されている。それぞれの印章には、かつての所有者だった一族の紋章が刻まれている。絵がクラナハの手から他の人々へと四百五十年をかけて移っていった証だ。これからも存在していく唯一無二のその作品を手にしていると、幸福感に満たされ、窃盗のストレスから解放され、ようやくふたりだけで、他人に見られないように隠し続けてきたプレゼントをじっくりと味わうことができた、と彼は述べている。

この屋根裏部屋にはだれひとりとして入ってくることは許されない。これまでも、一度たりとも。たとえ身内であろうと、修理屋であろうと。もしなにかが故障したら、自分たちの手で直す。「秘密の生活は、理想の生活だよ」と彼は言う。彼には雑役夫の技術が身についているが、これは母親から受け継いだ特質だ。母親は高価な道具セットを持っている。壁の穴をスパックルで修理するのが得意なので、彼は母親を「スパックル修理の女王」と呼ぶ。

盗品を隠匿しているために、ブライトヴィーザーは不必要なつきあいをせずにすんでいる。以前、まだこの世の中とうまくやりたいと思っていたときには、社交的なつきあいをしたかった。仲間とビールを飲んだり、噂話をしたりして、くだらないと思っているささやかな喜びを味わいたい、と思っていた。「美術は彼から社交の場を奪ってしまった」と心理学者のシュミットは述べている。たいていの人間というのは、彼にとってつまらない相手か、信頼できない相手、もしくはその両方なのだ。

「ぼくは生まれつき一匹狼なんだ」と彼は言う。自分とアンヌ＝カトリーヌと美術品は正三角形を形作っていて完璧な均衡を保っているから、ほかにはなにもいらない、と述べている。彼の夢は、恋人と盗品とともにここから脱し、ロビンソン・クルーソーのように小さな島で暮らすことだ。

　アンヌ＝カトリーヌはもう少し社交的だ。病院の同僚と話をするし、ブライトヴィーザーといっしょにたまに会う友人もふたりいるが、家に招くことはしない。一階の部屋であっても。二階に上がって部屋のなかを覗かれでもしたら一巻の終わりだ。四人はたいてい外で会い、ソーダを飲む。しかし、アンヌ＝カトリーヌとブライトヴィーザーは自分たちのことや仕事について正直に話すことができない。自分らしくいられない。そのせいで本当の友人関係とは何か、わからなくなる。

「ぼくたちふたりは閉ざされた宇宙にいるんだ」とブライトヴィーザーは言う。彼が外界に対して興味を持っているのは、美術のニュースと自分たちの犯罪の記事だけだ。歴史書を読んでいるが、最近の出来事には興味がない。ほとんど屋根裏部屋の密閉されたところで過ごしているようだ。ふたりの生活は、窃盗をするときの興奮と刺激で区切りがつけられるが、単調であることに変わりはない。アンヌ＝カトリーヌはこの状態に疲れていることがある、と彼女をよく知る人は言う。法律に従わずに生きるには規律が要る。

　ふたりの宇宙には不意に現れる第三の住人がいる。ミレーユ・ステンゲル、つまり彼の母親だ。母親は社交的な女性だ。友人が定期的にやってくる。一九九五年のクリスマスの日、『シビレ』を盗んで三ヶ月後のこと、ブライトヴィーザーは居間にいる母親をビデオフィルムに撮っている。彼女は赤いブラウスを着て黒いレギンスをはき、薄黄色の髪をひとつに結んでいる。銀の装飾が施された燭台にある背の高い蠟燭《ろうそく》に火を点け、来客が到着する準備をしている。

クリスマスの音楽がステレオから流れ、ガラスの花瓶に花が活けられ、ツリーを彩る光が瞬《またた》く。クロスが掛けられたテーブルの上には、チーズを盛り合わせた皿とケーキがいっぱいに並んでいる。アンヌ＝カトリーヌもいる。黒い肩紐《かたひも》のないトップスの上に黒いブレザーを着て、金の環のイヤリングをつけている。えくぼを作りながら恋人の手からビデオカメラを奪い取り、カメラを彼のほうに向ける。

「さあ、話してちょうだい」とアンヌ＝カトリーヌは言い、新年の決意を訊く。「どんな素晴らしいことをするつもりなの?」。ブライトヴィーザーの灰色のポロシャツのボタンは、いちばん上まですべてとまっている。髪は後ろになでつけられて真ん中で分けられている。指を絡み合わせ、唇を結んでいる。どうやら威厳ある格好をしているらしい。

「鼻をほじるぞ」と彼が言う。ブライトヴィーザーは芸術に関してはスタンダールのように熱く語り、プロのように盗むことができるかもしれないが、実際はただのガキに過ぎない。「それがいい。ほかにやれることなんてないし」彼は手を持ち上げて鼻の孔のなかに指を突っ込んでいく。「ほかにやれるのは、刑務所に行くことくらいかな」

彼は大きなあどけない目でカメラのレンズを見つめる。その顔は歯を剝き出しにした笑いへとすぐに変わる。演技が終わる。アンヌ＝カトリーヌはまだカメラで撮っている。ブライトヴィーザーはしばらく黙り込み、頬杖をついている。それから眉毛をくいっと上げてこう言う。「できるものなら、盗みをやってみたいな」

アンヌ＝カトリーヌはカメラのこちら側で、もっと話すように促す。「絵や拳銃」、彼は左の手で、向こうに行くように合図する。「アンティークを手に入れる」。何百万──ドルか、ユーロか、フランか──もの価値のある美術品を盗み出すことに決めた、と言う。何千億もの価値あるものを。捕まったら、泣いちゃうな、と彼は言う。「ぞくぞくしなくなる」

居間は狭い。家そのものも狭い。しかも母親はまだそこにいる。秘密には空間が必要だ。母親は、息子が何かを上に運んでいるのをたびたび見たと認めている。しかし後に、宣誓をおこなって供述したときにはこう説明している。旅行から帰ってくると息子は急いで荷物を二階に持っていって扉に鍵を掛ける、と。

たとえブライトヴィーザーとアンヌ＝カトリーヌが確実に鍵を掛けていても、この家のどの扉も同じ鍵で開けられるのだ。彼の母親も同じ鍵をキーホルダーに入れている。ステンゲルが息子の部屋に入ったことは一度もなかったかもしれない。すべては骨董品屋で買い求めたという息子たちの言い分を信じて納得していたのかもしれない。真実を疑うほど長く作品を見たことがなかったかもしれない。ブライトヴィーザーが言うには、美術品がわかる目を持っていなければ、いや、たとえそんな目を持っていたとしても、作品の真偽を見分けるのは困難だそうだ。母親には、父親や自分とは違って物を集めたいという衝動もなければ、新しい物をほしがる気持ちもない、という。同じ腕時計を一生使っている、と。しかし、ホームビデオを見れば、母親が何が起きているか察しがついているのは明らかだ。

ブライトヴィーザーがカメラをアンヌ゠カトリーヌからもぎ取り、母親の姿をクローズアップすると、母親はモデルのように顎《あご》を反《そ》らし、背筋を伸ばし、上品で優雅な態度で部屋を滑るように歩く。「ぼくの話、聞いてた？」と彼が直接母親に訊く。何百万もする美術品を盗むという決意のことを言っているのだ。彼には母親が聞いていたことがわかっている。

しかし、母親はなにも言わない。息子に背を向け、赤と白の縞模様のカバーで覆われた肘掛け椅子のそばを通り過ぎ、ステレオのところへ行く。屈み込んでステレオの音量を上げる。ブライトヴィーザーは挑戦するかのように大きな声を出す。「扉の取っ手を回しただけだったの？　ママ」

母親の顔の筋肉がひきつる。彼女はさらにカメラから遠ざかっていく。息子に視線を送りながら。その顔に辛そうな笑みが浮かび、短く甲高い笑い声を放ち、さらに、わざと腹を立てているかのような声をあげる。

彼は撮影をやめる。母親が共犯であることは、頑《かたく》なに知らないふりをすることで軽減される、と彼が言う。「知っているけど知らないんだ。なにも見ていない聞いていない、という態度だから」。母親の知人でパリに住む書籍編集者は、ステンゲルは教育を受けた洗練された人物だと述べている。「彼女は息子のどんな愚行も許しているの」とその編集者は言う。「愛しているからよ。どんなばかげた行為をしても、彼女は息子を守りたいと思ってる」

ブライトヴィーザーには、母親を苦境に追い込んだことがわかっている。息子か法律か、そのどちらかを選ばざるをえないところに追い込んでしまったのだ。彼女にはたったひとりの子どもとの繫がりを断つことができそうにない。家から叩き出そうとは思っていない。ましてや、もっと悪いことをしていたとしても。「母はどうするつもりだろう」とブライトヴィーザーは訊く。「警察にぼくを突き出すのかな?」

第13章

新しい絵画を屋根裏部屋に持っていくたびに――クラナハは、この半年で六番目に運び込んだ絵だ――彼は、額縁がないとたとえ素晴らしい絵画でも威厳を失って、まるで裸でいるみたいだ、と思う。額装するつもりだが、それはひとえに作品への敬意からだ。

仕事のない日に車を運転し、ミュルーズの丸石を敷いた通りを走っていると、前には気づかなかった店が街角にあるのを偶然見つける。地味な看板、額縁製作という文字、ウィンドーには絵画と額縁の一部が乱雑に展示されている。ブライトヴィーザーは店に入ってみる。ただならぬ乱雑ぶりのなかで、巻き毛で黒髪のクリスチャン・メイヒラーという、店の所有者で唯一の従業員でもある男がいて、「ボンジュール」と言う。

好奇心を抱いたブライトヴィーザーは自己紹介する。彼の姓を聞くと、メイヒラーはいま受けている作品のひとつを指さす。ロベール・ブライトヴィーザーが描いた力強い絵で、ちょうど額装ができあがるところだ。ブライトヴィーザーは友人を作るのが苦手で、友人がひとりもいないが、メイヒラーはそのルールを覆す例外的存在だ。この額縁製作者はブライトヴィーザーより六つ年上で、美術狂だ。「最高の絵は」と、長時間の取材に応じたメイヒラーが言う。「輝く思い出の場所に観る者を連れていく。絵画の内に第二の故郷があるんだ」

おそらくメイヒラーは、ブライトヴィーザーのまわりにいる四人――アンヌ＝カトリーヌ、母親、祖父と祖母――を除けばただひとりの知り合いだ。この美術品泥棒を彼は個人的に知っている。「それに感性が豊かだし、洞察力があって、見る目がある。「彼は繊細だよ」とメイヒラーは言う。「本物のコレクターだ」。こうした意見を述べるのはメイヒラーだけではない。ブライトヴィーザーへの評価は往々にして厳しい心理療法士シュミットさえも、報告書では、ブライトヴィーザーは「人並み外れた美意識」と「共感しやすい、大らかな心」を持ち、美しいものを愛している、と書いている。

フランスの心理学者ルシアン・シュネデールは司法からの要請を受けて、二〇〇四年にブライトヴィーザーに面会した。そしてブライトヴィーザーは自己中心的な人物で強迫観念があり、不満をうまく処理できないタイプだが、その一方で非常に繊細で傷つきやすいと述べている。こうした資質はすべて、感情が激すると現れてくる。両親が別居した際の険悪な雰囲気が「精神的不調の部分を形成した」、それですぐに美術品に没頭し、慰めと心の平安を求めようとした、とシュネデールは報告している。「彼の違法行為はすべて、芸術作品への尋常ならざる愛着によってもたらされた心理的苦悩が原因である」とも述べている。ブライトヴィーザーはこう言っている。「シュネデールはぼくを糞野郎だと見なさなかった唯一の心理学者だ」

メイヒラーがいちばん魅了された美術品の作風は、ブライトヴィーザーが魅了されたものと同じだった。ルネッサンス時代の終焉とバロック時代の黎明期に花開いた豊潤なヨーロッパの油絵だ。「夢と詩情を蒸留した絵画」というのが額縁職人の観ている姿だった。ふたりの友情が始まるとき、ブライトヴィーザーは無口で控え目だった、とメイヒラーは言う。「まったく喋らなかった。でもいったん口を開くと熱い思いが溢れ出してきたんだ。あの年齢で、美術品を資産価値ではなく美によって評価している者っていうのは本当に少ない。彼は鑑定家だよ。芸術のことを話すときは教養に溢れて聡明な感じなんだ。それに率直だった」

ブライトヴィーザーがメイヒラーについた最初の嘘は、前にもついたことのあるものだった。実は、画家のロベール・ブライトヴィーザーとは遠縁に当たるだけなのだが、自分は彼の孫なのだという嘘を言った。自分の美術品コレクションの出所についても、嘘をついている。作品はオークションで購入した、とメイヒラーに言っている。メイヒラーの前に出ると、アンヌ＝カトリーヌ以外のだれに対するよりも正直になれる、とも断言している。

絵画の額縁職人はクライアントを詮索したりしない。高名な一族のためにかけがえのない作品を額に納めることもよくある。額縁職人の掟は、慎重であること。ブライトヴィーザーは有名な画家と同姓であり、資産家に見えた。彼の選んだ額縁のなかには千ドル以上するものもあった。この金額を、つましい生活をしているふたりは受け入れている。アンヌ＝カトリーヌはこうした浪費を知っている。ふたりはときどきいっしょに額装の店に来て、どんな額縁にするか相談することもある、とメイヒラーは述べている。

メイヒラーが最初に手がけたのは、ブライトヴィーザーが初めて盗んだ絵画作品、スキー旅行の途中でアンヌ＝カトリーヌとともに盗んだ老齢の女性の肖像画だ。その仕事ぶりは素晴らしいものだ。ブライトヴィーザーが、次にメイヒラーに額装を頼んだ作品、聖ヒエロニムスの肖像を受け取りに店に入ると、黒と金色のアラベスク模様に縁どられた美しい作品は、道行く人々を愉しませるためにショーウィンドーに展示されていた。何日もそこに飾られていたのだ。

これではすぐに逮捕される。警戒心が緩《ゆる》んでいる。友情を育むなど、愚かすぎる。ブライトヴィーザーの体は震えたが、この関係を終わりにしたくなかった。ここ数週間、メイヒラーの店でかなりの時間を過ごしてきて、彼の見習いのようなものになっていた。額縁のあらゆるタイプの留め具をいかに取り付けたり、取り外したりするかを学んできた。聖ヒエロニムスを盗んだあと、ブライトヴィーザーはこの友情を長続きさせるためにまた嘘をつく。絵画を移動させるあいだに傷を付けてしまうのが心配なので、もう家から作品を持ち出したくない、と。それで彼は、絵画の詳細とその大きさをメイヒラーに語ることになる。額縁が出来あがると、ブライトヴィーザーは自分で留め具をつける。

ブライトヴィーザーのこうした異様なまでの警戒心にもかかわらず、メイヒラーは自分が歴史上もっとも大がかりな美術窃盗犯と親しくなっているとは夢にも思わなかったようだ。この額縁職人は、痩せ細っていて落ち着きがなく過去にこだわるブライトヴィーザーに、自身の姿を重ねている。メイヒラーは「時を超えた《アンタンポレル》」という美しいフランス語でふたりの関係を述べている。いつの間にか時間が過ぎていく。「おれたちは学び合っている」とメイヒラーは言う。「オークションのカタログを丹念に見るんだ。手に入れたい絵のことをふたりでいろいろ話してる」

メイヒラーも、ブライトヴィーザーが泥棒だとは知らないにしても、この友人が面倒なことを起こすに違いないと感じている。「芸術は精神の糧《かて》だ」と額縁職人は言うが、それを所有するという狂気じみた欲望は、食い意地が張りすぎている。「彼が芸術に傾ける情熱は、トリスタンとイゾルデのような、理由のない、苦悩に満ちた愛であって、満たされることも、消し去ることもできないんだ」

第14章

「泥棒だ！」

この言葉が——甲高い叫び声だ——自分に向けて発せられるのを聞きたいと思う泥棒はひとりもいないが、その言葉がいま、オランダのマーストリヒトの街の南で開かれている「ヨーロッパ絵画展」という、絵を買おうとする人でごったがえしている場所を、鋭く切り裂いた。

「泥棒だ！」

彼はこのときなにも盗んではいないが、それでもその叫び声が自分に向けられたものではないことがわかるまで、顔を歪めている。警備員たちがブースのあいだの絨毯の上を走っていく。展示場のあらゆる顔がそちらを向く。

激しく体当たりする音と殴り合う音がし、絵画の所有者たちも思わずその場から離れて見にいく。この展示会でも最高の場所をあてがわれているロンドンを代表するディーラー、リチャード・グリーンは、葉巻を口にくわえながら、泥棒が制圧されて連れていかれ、盗まれたものが元に戻されるのを眺める。見世物が終わり展示場に戻る。そこの台座のうえには値段が付けられないほど高価なルネッサンス期の油絵が何枚も飾られている。すると、絵のない台座がひとつあることに気づく。

数分後、ブライトヴィーザーとアンヌ＝カトリーヌは車に乗って、駐車場から出ている。この車は、トランクのなかにあるお土産のことを考えれば、いますれ違ったランボルギーニなんかよりはるかに値が張っている、と彼は陽気に考えている。盗みの鉄則に反し、額縁がついたままだ。この常軌を逸した状況のせいで鉄則は変わった。

この芸術品、ヤン・ファン・ケッセル（父）が一六七六年に描いた革新的な、少しも静かではない「静物画」では、蝶々が花々のまわりを飛び交っている。グリーンの展示場の外からこの作品をひと目見て、ブライトヴィーザーとアンヌ＝カトリーヌは虜になってしまったのだ。こんな作品をこれまで見たことがなかった。色合いが素晴らしい。この作品に魅了されたふたりはグリーンの展示場に入り、きらめく色の蜃気楼のなかを通って近づいた。間近で作品を見るまで、その絵が薄い銅板に描かれているとわからなかったらしい。

ふたりは以前、別の展示会でリチャード・グリーンに会ったことがある。そのときふたりは十七世紀の風景画の値段を調べていた。ブライトヴィーザーによれば、グリーンは若いふたりを値踏みした。おそらく、いささか派手な古着のアルマーニとエルメスの衣服を身に着けていたせいかもしれないが、彼はなんの敬意も示さず、ふたりをブースから追い払った。「リチャード・グリーンなんてくたばっちまえばいいんだ」とブライトヴィーザーは言う。「モンテクリストの葉巻もロレックスの腕時計もだ」

ヨーロッパ絵画展では、盗めはしないが、垂涎《すいぜん》の的の作品がたくさん展示される。警備チームはプロフェッショナルで、私服の警官もいる、とブライトヴィーザーは言う。さらに、彼にとって我慢できない点がある。参加者は出口で持ち物を検査され、販売伝票の提出を求められる。銅板に描かれた油絵はブライトヴィーザーに囁《ささや》きかけてくるし、グリーンは当然の報いを受けるべきだと思うが、成功の可能性がゼロに等しい状況で絵を盗もうとするなど、愚か者にしかできない所業だ。

ところが幸運にも、愚か者がひとり、まさしくこの瞬間に現れたのだ。怒鳴り声が聞こえ、会場が騒然となった。野次馬が押しかけていき、各ブースは空っぽになった。ブライトヴィーザーはみなと同じようにびっくりはしたが、それに続く大騒ぎのなか、彼は美術品泥棒の愉悦といった至高の場所へ駆け上り、上方から犯罪の全貌を眺めているかのようだった。出口にいた警備員たちは泥棒逮捕に協力するために持ち場を離れているに違いない。絶対に間違いない。刑期を賭けたっていい。

彼はアンヌ＝カトリーヌに耳打ちをした。彼女はリチャード・グリーンのブースにひとりだけ残っている従業員のところに走り寄り、質問をするふりをして、従業員の視界を遮《さえぎ》るところに立った。それだけでよかった。その絵画はたちまちグリーンのブースから姿を消した。額縁ごと持ち去ったのは、たくさんの釘が打ち付けられていたので、すぐには外せなかったからだ。ふたりはまっすぐに戸口へ進んだ。絵画は隠しきれてはいなかったが、大急ぎで出口に向かっていく。ブライトヴィーザーは賭けに勝ち、だれにも気づかれずに外に出る。

しかしまだ仕事は終わっていない、とブライトヴィーザーは思う。国境を越えるまでは安心できない。欧州連合《EU》であっても公的な国境は存在し、車は調べられることになっている。フランスに入るときには、国境を越える際にいつもやっているように、遠出をしてきた若くてスタイリッシュなカップルのふりをする。するとたいてい、役人たちはそのまま行くように合図する。ふたりは母親の家の狭い私道に車を停め、銅板の静物画を持って二階に上がり、屋根裏部屋の扉を開ける。

彼は最近、盗んできた絵画を伝統通りに遇するようになった。絵の後ろにある美術館のステッカー、家紋、封蠟《ふうろう》、コラージュされたステンシルの目録番号のところに、自分たちの言葉を加えることにしたのだ。彼の書いた紙には、「芸術への愛、アンヌ＝カトリーヌへの愛。ぼくのふたつの情熱」とある。そこに署名し、粘着テープでしっかりと留める。

銅板の絵は蠱惑《こわく》的だが、彼の盗み方は蠱惑とはほど遠い。あまりにも遠い。彼が少しずつ集めているのは美術品であり、冒険譚ではない。彼にとって最高の盗みとは、もっとも退屈な行為かもしれない。天井の明かり取りから侵入したり、赤外線センサーをよけたりする盗みを見たいなら、そんな映画をダウンロードすればいい。美術品を盗みたければ、シリコンを薄く切るやり方を学ぶべきだ。

美術館の展示ケースは強化ガラスか、プレキシガラスやルーサイトといったアクリル樹脂でできている。普通は樹脂の端はシリコンの糊《のり》で閉じられている。腕のいい外科医ならこの封印を解くことができるだろう。その外科医がシリコンの接着面にスイス・アーミー・ナイフの切っ先で、上下に細く切り込みを入れれば、樹脂の板は外れる。アクリル樹脂にはある程度の柔軟性があるので、ガラスがたわんで手が入るくらいの隙間ができる。

フランスの西海岸にある従業員がひとりしかいない美術館で、ブライトヴィーザーは正方形のケースを切って、その隙間から象牙の小立像三点と煙草《たばこ》容れを引っ張りだす。残った作品を押しのけ、ペンを持った手を伸ばして展示物を均等に並べ替えようとする。盗まれていないように見せるために慎重に動かす。シリコンを再びきちんと元に戻すと、展示品には手を触れていないように見える。展示ケースに鍵が掛かっていれば、盗まれていても、盗まれていないと判断される。

ドイツのライン川沿いの城で彼は同じ手順で、一六八九年の金と銀でできたトロフィーを手に入れる。その地域がフランス軍に抵抗したことを称揚するもので、住民の誇りとなっているので、トロフィーの写真がすぐさま警察の指名手配のポスターになる。ブライトヴィーザーは数時間後に車のトランクにトロフィーを入れてドイツの国境を越えるとき、税関のブースにそのポスターがあるのを目にする。彼の車が停められることはない。

一九九六年五月、スイスのある城を訪れた際に、ブロンズ製の狩猟ナイフを盗むために手を伸ばすと、ガラス板が大きく曲がって割れ、銃声のような大きな音が出る。ガラスの破片が両手に突き刺さり、血が噴き出し、ブライトヴィーザーはいきなりうろたえる。彼はナイフを捨ててアンヌ＝カトリーヌと逃げていく。自動車事故でもあったかのような、割れて血のついているガラスの破片を残して。しかし一分もしないうちに、彼の生まれつきの冷静さが蘇る。城は広く大きく、警備員も不十分で、ガラスの割れる音などだれも気づいていないと判断する。それで彼は現場に戻り、ガラスの欠片《かけら》のなかにあるナイフを回収する。

そういった突飛で緊張を強《し》いられる行動をしたあと、ブライトヴィーザーとアンヌ＝カトリーヌは週末を自由気儘《きまま》に、窃盗をせずに過ごす。自然のなかを歩いたり、町中を散歩したり、ブティックを眺めたり、建築を調べたり、美術館に行ったり、ツアーに参加したりする。いったんそのツアーが始まると、ふたりは盗むことは考えない。美術館の従業員がふたりを案内していく。ふたりの顔が覚えられる。

ブライトヴィーザーが美術品泥棒になったのは、自然発生的であり、質素な生活ゆえである。「物事を複雑にするな」というのが彼のモットーだ。「道具などに頼ってはならない。大事なのは身の動き、声音、反射的な思考や行動、恐怖を自分で完全にコントロールできること。すべてがほんのわずかな動きの差で決まるときには極度の緊張状態になる。それを受け入れるだけだ。事態がどう動くかなどわかりようがない」

建てられてから八百年は経った城をツアーガイドについて回りながら、アルバレロと呼ばれる薬剤師の壺をひそかに狙っている。コカ・コーラのボトルのように官能的なくびれがあり、棚の上にたったひとつ、保護もされずに置かれている。そのとき、天啓を受ける。泥棒はまさかそんなことをするはずがないと思われることこそ、まさに泥棒がやろうと考えていることなのだ。彼はガイドと観光客の集団といっしょにいて、アンヌ＝カトリーヌは次の部屋へこれみよがしに入っていく。だれもがその先にあるお宝に注意を向ける。この城には防犯カメラもわずかしかなく、警備員も少ない。ロッカーにバックパックを入れておくよう要請されもしなかった。

カメラと人には同じような限界がある。双方とも、ブライトヴィーザーが推測することのできるものだ。レンズの視野と、人間観察の範囲。アルバレロがなくなってもこの展示室のなかでは目立ちはしない。なくなっても気づかれることはない。この壺が消えても少なくとも数時間は猶予ができる、と彼は考えている。アルバレロをバックパックのなかに滑り落とす。普通、展示品を盗むと、彼もアンヌ＝カトリーヌも出口へ急ごうとする。急ぎ足ではないが、それでもなるべく早く戸口へ向かっていく。泥棒は略奪した物といっしょに美術館のなかに留まっているわけにはいかないし、もちろん、周囲に気を配りながら慎重に逃げていくときに従業員に接触してはならない。

ところが今回ふたりはツアーを最後まで続け、ガイドと陽気に話をする。もしこの犯罪が早急に調べられるようなことになったら、ふたりの親しみのある行動のせいで容疑者リストから除外されるに違いなく、バックパックを検査しようなどと思う者はいないはずだ、とブライトヴィーザーは計算している。彼はこの考えを試す必要はない。直感は正しい。盗みが発覚するのは、ふたりが美術館を立ち去ってからだいぶ経ってからだ。これまでガイドツアーに参加中に盗みを働いたのは六回。アルバレロを盗んで以降、ふたりは入場券を買うあいだも打ち解けた態度をとり、警備員に経路を訊くために立ち止まったり、大袈裟に手を振って別れの合図をしたりする。そういったことは美術品泥棒が決してしないことだからだ。

彼は一度、フランスの南部にある美術館から粘土の小立像を盗んだあと、警察に電話をしたこともある。車のところに戻ったら、車体に鍵で引っ掻《か》いたような傷がついていたのだ。彼は自分の所有物が乱暴に扱われたことに怒って、地元の警察に電話をしている。警官が現れて損害の状態を調べ、訴えをノートにとっているとき、小立像はそのトランクのなかにあった。

別のとき、ふたりが十七世紀の祭壇画を二枚持って美術館から出て車のところまで行くと、恐ろしいことにそこにはすでに警官がひとり立っている。祭壇の板は二枚とも高さ六十センチ幅三十センチ近くあり、ブライトヴィーザーの腋《わき》の下《した》に隠してある。それが発覚しないように、上着を着た両腕を不自然なほど体へ押しつけているので、あまりにも動きがぎこちなく腰を下ろすことができない。ふたりは、この危険な状況のなかで平静さを装いながら優雅な態度で、なにかあったのですか、と丁寧な口調で警官に尋ねる。警官は、駐車違反のチケットを書いているところだ、と答える。ブライトヴィーザーは絶えず倹約しているので、駐車メーターを使ったことがなかった。このとき普通の泥棒ならほっと一安心するところだが、ブライトヴィーザーは違った。無謀にも、両腕を体に押しつけたまま警官と言い合いを始め、警官にチケットを取り下げさせることに成功する。

一九九六年七月には、フランス北部にある鉄製工芸品を集めている静かな美術館を訪れる。ドアノッカーやペッパーミルなどがたくさん展示されている。ブライトヴィーザーには、ガラスの扉のついた展示キャビネット自体が素晴らしいアンティークだとわかる。とりわけ精密な慈善箱が収められているキャビネットは、祖父母が以前購入し、いまは彼の屋根裏部屋にあるルイ十五世時代の大型衣装箪笥《だんす》を思わせる。その形の細部、杢目《もくめ》、仕上げの磨きなどに厳しい目を向けた彼は、ふたつともが同じ工房で作られた可能性があると判断する。鍵穴の形もそっくりだ。

彼は屋根裏部屋の衣装箪笥には鍵を掛けたままだが、この工芸品も同じように鍵が掛かっている。鍵は財布の小銭入れに入っている。まわりに人がいないことを確かめ、その鍵を取り出す。この鍵は二、三世紀前に作られたもので、種類は限られている。鍵を美術館のキャビネットの鍵穴に押し入れて左に四分の一ほど回す。鍵が外れるカチリという音がする。「すげえ、信じられない。奇跡だ」と彼は言う。慈善箱を手に取り、展示ケースに鍵を掛ける。

　ネジは永遠の大敵だ。ネジを一本外すだけで、うまくいけば、ブロンズの暖炉用具を炉棚から手に入れることができる。ネジ二本で、羽根飾りの帽子を被ったマスケット銃兵の肖像画が手に入る。ネジ三本で、十六世紀の燭台が自分のものになる。陶器の脚付きスープ容れを盗むために、一回の訪問で二本のネジを引き抜き、その翌週にさらに二本のネジを抜く。ある日曜日には十二本のネジを回し、金めっきの施された儀式用メダイユを得る。盗みのあいだ、ネジはすべてポケットに入れておき、外に出てからすべてを投げ捨てる。

　ブライトヴィーザーの最高のネジ技は、ジュネーブに近いアレクシス・フォレル博物館で開花する。そこで彼が惹きつけられたのは三百年前の大皿だ。有名なオランダの陶工シャルル＝フランソワ・アノンの工房で作られたものだ。その大皿はネジの取り付けられたアクリル樹脂のケースに収められている。多くの留め金があるが、盗む気満々になっているので、アンヌ＝カトリーヌは監視態勢に入り、彼はそれを仕留めようとする。スイス・アーミー・ナイフは掌のなかで回る。ネジは五個、十個、十五個、大変な作業だ。やめるべきだという思いを振り払うことができない。心のなかで自分とやりとりし——金輪際、こんなに多くのネジは外さない——それからさらに続ける。二十個、二十五個のネジ。

二十六、二十七、二十八、二十九。そしてとうとう三十個。ケースが開き、大皿は彼のコートの下に消える。ふたりはその場から出るが、間もなく彼はひりひりとした感覚、これまで遭ったことのない危険が待ち構えているという感覚を覚える。そしていつものようにその直感は正しい。

第15章

地元の警察署の二階にある事務所で、コンピュータに向かって背を丸めているアレクサンドル・フォン・デア・ミュールは、スイスにふたりいる美術犯罪捜査官のひとりだ。彼はアレクシス・フォレル博物館にあった防犯カメラの映像を丹念にチェックしている。画像はざらついていて、映っている顔もぼんやりしているが、行動自体ははっきりわかる。男と女――若く、こぎれいな服を身に着け、巧妙に隠されている防犯カメラに気づいていないように見える――は、白昼堂々と盗みをおこなっている。大皿を盗むために三十個のネジを外しているところだ。

スイスではいま、美術品を抜け目なく盗んでいく事件が相次ぎ、その大半に共通点があるとフォン・デア・ミュール警部は考えている。警部は熱意があり、堂々とした体格を持ち、悪行を許さない。警官のお手本のような人物だ。また、饒舌で温厚、入手可能な十九世紀美術品の熱心なコレクターでもある。美術館は現世の教会であり、そこから盗むのは冒瀆だ、とフォン・デア・ミュールは言う。

この連続窃盗事件に独自の特徴があることが彼にはわかっている。白昼堂々と手際よくおこなっている。真鍮の天秤から戦斧《せんぷ》、絵画にいたるまで、盗まれた作品はルネッサンス後期のものが大半で、犯人はとりわけフランドル派の作品を好んでいる。盗みの手際の良さ、たび重なる犯行、しかも犯行現場が近辺だということを考慮すると、犯人は証拠や目撃情報をなにひとつ残していないことに自信を持っているらしい。こちらを嘲笑している唯一のものが、盗まれた絵画があったところに残された中身のない額縁だ。犯人は捕まらないと思っている。こういうつけあがった奴は必ず逮捕しなければならない、とフォン・デア・ミュールは思う。

この泥棒たちが盗むのは、だれもが知っているような有名な作品ではない。知名度のない最高級品、簡単に囲みを破って市場へ漏れ出していく作品を狙っている。フォン・デア・ミュールは、自分が追いかけているのは生まれながらにして美術品に詳しい、ひとり、もしくはふたりの非常に珍しいタイプの犯罪者ではないかと思っている。いくら美術品に詳しくても、美術犯罪は複雑きわまりなく、大きなミスを犯すことは避けられない。美術館の隠しカメラに気づかなかったために大失策をしでかすこともままある。アレクシス・フォレル博物館のように実に上手にカメラが隠されている場合、フォン・デア・ミュールはその場所を公開したりしない。この録画フィルムに、彼が探し続けてきた犯罪が残されていることを願っている。

フォン・デア・ミュールは、泥棒たちが金銭的利益を求めて犯行を繰り返していると思っている。美術品の値段はこの何十年のあいだ高騰し続けてきた。これで泥棒たちが勢いづいて犯罪に走っているように思える。美術マーケットは透明性もなければ取り締まりも及ばず、正確な数字を出そうとしない。美術犯罪捜査協会という、年二回「美術犯罪ジャーナル」を発行している教授や防犯の専門家から成る国際組織は、美術品とアンティーク専門の窃盗は世界で最高額の利益を上げるビジネスのひとつだと述べている。世界的に見れば、毎年少なくとも五万点の美術品が盗まれている。大半は美術館ではなく個人宅から盗まれていて、その総額は何十億ドルにものぼる。

パブロ・ピカソは犯罪者の世界のチャンピオンで、いつでも狙われている画家である。これは当然といえば当然かもしれない。一九一一年に『モナ・リザ』が盗まれたとき、窃盗容疑で逮捕されたのが、当時二十九歳でパリに住んでいたピカソだった。逮捕されたピカソは中央警察署に連れていかれ、知り合いのベルギー人詐欺師ジェリ・ピエレと盗みを働いた罪で告発された。ピカソは恐怖に駆られた。『モナ・リザ』盗難には無関係だが、数年前にルーヴル美術館からある絵を盗んでくれとピエレに頼んだことがあるのだ。

一九〇七年、ピカソはピエレに五十フラン（十ドル）を支払い、ルーヴル美術館に展示されている地元イベリア半島から発見された古代の二体の小さな石像を盗むよう依頼した。ピエレはその依頼に応えて、コートの下に石像を隠してひそかに持ち出した。その石像の顔は破壊されていた。ピカソはそれを自分のアトリエに置いた。彼は自伝のなかで、キュービズム時代の幕を切って落とした画期的な作品『アヴィニョンの娘たち』のモデルにその石像を使ったことを打ち明けている。

警察の捜査官はすぐに、ピカソもピエレも『モナ・リザ』の盗難にかかわっていないと判断し、ピカソは勾留後半日で釈放された。二体の石像について警察になにも話さなかったが、この逮捕にひどくうろたえたピカソは、数日後ひとりの友人に頼んで「パリ・ジュルナール」紙の編集室の前に石像を匿名で届けた。新聞の編集者がその作品をルーヴルに戻したので、ピカソとピエレが罰せられることはなかった。

次に狙われやすいのはサルヴァドール・ダリ、アンディ・ウォーホル、ジョアン・ミロの作品だが、そのだれひとりとして、ピカソの盗難件数の合計一千点には及びもつかない。この数のなかには、フランスのアヴィニョンの「アヴィニョン教皇庁」で一九七六年に開かれた展覧会で盗まれた百十八点の作品も含まれている。スキーマスクを被って武装したギャングたちが、閉館時間の直前に押し入ってきて、夜警を殴りつけ、猿ぐつわをかませ、展示室を襲撃してヴァンで逃走した。八ヶ月後、七人のギャングが作品を売ろうとして逮捕され、すべてのピカソ作品は取り戻された。ギャングが闇市場の美術ブローカーだと思っていた相手は、実はおとり捜査官だったのだ。

アヴィニョンで犯罪を防げたのは、美術の闇社会へ潜り込んだ優秀な警官のおかげであり、これがきっかけとなり美術犯罪捜査班の現代化が進むようになった。イタリアでは第一次国際美術犯罪捜査部を一九六九年に立ち上げたが、文化遺産保護のための警察司令部《カラビニエリ・コマンド》は三百人の捜査官を擁する世界最大の組織だ。その他の二十ヶ国がイタリアに倣《なら》っているが、スイスのように捜査官がふたりしかいないところもある。アメリカ合衆国にはFBI美術犯罪特別捜査班があり、二十人の専門の捜査官がいて、行方不明の美術品の指名手配リスト「一〇大重要指名手配《テン・モスト・ウォンテッド》」を独自に作成している。

三十人の捜査員がいるフランス美術犯罪捜査班（OCBC）は、技術も実績もイタリアのチームに次ぐと考えられている。一九九六年の夏、アレクサンドル・フォン・デア・ミュールが、自分の担当したスイスの盗難事件についてひそかに情報を収集していると、ベルナール・ダルシィというOCBCの捜査官で、命令系統の第二位の人物が、内部のメモを公表する。ダルシィのメモには、フランスに関連があると思われる十四人の美術品泥棒が記されていて、ブライトヴィーザーとアンヌ＝カトリーヌが二ヶ国で実際に追跡調査されていることが明らかになる。

第16章

ベルナール・ダルシィのメモのなかには、一九九六年八月にブルターニュの小さな美術館で象牙の小さな像が盗まれた事件についても記されている。十六世紀に作られた象牙の像が消える前、その近辺を一組の男女がうろついていたという目撃情報があった。その何ヶ月か前のこと、フランス東部のかなり小さな街で、男女のカップルが、やはり十六世紀の絹の刺繍のタペストリーを盗んだという容疑が持たれた。

ダルシィは、ワイヤフレームの眼鏡を鼻先にかけ、フランスの最新の美術品泥棒のすべてを細かく調べた結果、同じようなパターンによる犯罪が六件以上あることを突き止めた。窃盗犯は夫婦で、高度な教養があり高い教育を受けた人物で、大学教授であってもおかしくない、と彼は推測する。趣味が芸術であることは明確で、美術館の展示品を盗む才能に恵まれているらしい、とダルシィは言う。もしこのふたりがメモにある犯罪のうちの半分にでもかかわっていたら、このふたりは驚くほど活動的だ。

美術犯罪捜査にかかわる前、ダルシィはテロ防止の部署で十年間働いていた。美術犯罪捜査とテロリスト捜査には類似点がある、と彼は見ている。双方ともに社会に不安をもたらし、心理的な後遺症を発生させる犯罪をおこなうからだ。ダルシィのリストのなかでテロに極めてよく似ている犯罪は、一九九六年のコルネイユ・ド・リヨンの肖像画の強盗かもしれない。コルネイユ・ド・リヨンは、美術愛好家で有名なフランスの国王フランソワ一世（1494〜1547）時代の宮廷画家だった。『モナ・リザ』をレオナルド・ダ・ヴィンチの工房から、金貨四千枚で直接購入したのがフランソワ一世だ。だからイタリア人の手で描かれたこの素晴らしい絵画がフランスにあるのだ。

一五三六年、コルネイユ・ド・リヨンはフランソワ一世の娘で当時十代のマドレーヌを描いた。この作品は芸術的な制約――緑色の背景、真珠とルビーの一連のネックレス、飾り気のない表情――からなる傑作であり、それがこの作品に言うに言われぬ悲しみをもたらしている。マドレーヌは病気に苦しみ、死の運命から逃れることができず、コルネイユ・ド・リヨンはそんなはかなさ、無常をとらえているように見える。この肖像画が完成した一年後、マドレーヌは結核で十六歳で亡くなっている。

『マドレーヌ・ド・フランス』は、フランス美術史委員会がフランスの歴史上もっとも重要な絵画の一枚として選んだ作品で、ブロワの城の美術館における白眉だった。マドレーヌがロワール川沿いにあるこのブロワに来ることになったのは、パリより温暖な気候が彼女の病気を癒やしてくれることを期待されてのことだった。肖像画は挨拶状ほどの大きさしかなく、有名な大きな額縁がついている。額は二重になっていて、大きな外側の台のなかに入り込むように、内側に金めっきの施された木製の額がある。

この作品は美術館の正面入り口のホールに展示されていた。館のなかでももっとも人通りの多い場所だ。七月の夕方、来館者は活発に動きまわり、警備員は警戒を緩《ゆる》めず、いつもと変わらない様子だった。走っている者もいなければ武器や道具を持った者もおらず、疑わしい格好の荷物を持った者もいなかった。窓が開けられた形跡も、別の出入口がこじ開けられた跡もなかった。異常な動きはなく、騒動もなかった。

『マドレーヌ』はそこにあった。そのあと、消えた。大きな外側の額縁はいつものようにそこにあったが——驚愕すべきことに、不可解なことに——額縁の真ん中は空っぽになっていた。ある個人がこの美術館に寄付し、その後百三十八年にわたって大勢の人の目を楽しませてきた絵画が、まるでシャボン玉のように消えてしまったのだ。

これがダルシィの悩みだ。なんの手がかりもない。はっきりした犯人像も、犯罪者の名前もわからない。ダルシィにあるのは直感だけだ。この時点ではどんなことを公表しても、自分の手の内を泥棒に見せることになり、絵画を安全に取り戻すチャンスがつかめなくなる。

ダルシィはフランス美術犯罪捜査班で内々に捜査を進めていくよりほかに方法はなかった。このときはまだ、アレクサンドル・フォン・デア・ミュールがこの件で奮闘している事実を知らない。しかし、罠は仕掛けられている。スイスとフランスの捜査官たちは面識こそないが、両国で新たな美術盗難事件が起きれば、その犯罪が同じ犯人によるものかどうかを確認するために細かいことまで相談していた。

いくつかの盗難事件が同じ手口だった。スイスでは一九九六年に、一組の男女が、バーゼルの歴史博物館で十七世紀のヴァイオリンが消えたあとで目撃されている。一九九七年、フランスでは、男女のカップルがサントの美術館に現れ、フランドル派の画家の静物画が額縁から抜き取られている。ナントの美術館でもこのふたりは目撃されており、そこでは猪のブロンズ像が姿を消している。さらにヴァンドームとオルレアン、バイユルでも同じように目撃されている。多くの類似点がそこにあることがわかり、別の調査がフランスの地方警察の別の課によって始まる。

三つの機関、つまりフランスの二機関、スイスの一機関が捜査に乗り出したのだから、あとは時間の問題だ。泥棒がこうした大胆な犯罪から長いあいだ逃れられたためしはない。運が尽きたら、捕まるだけだ。このふたりは必ず捕まえられる。

第17章

『マドレーヌ』を盗むことなど不可能に思われた、とブライトヴィーザーは述べている。可能であるとは到底考えられない。ブライトヴィーザーとアンヌ＝カトリーヌはブロワ城にある美術館を訪れたとき、その肖像画が展示されているのを見て、ふたりとも同じことを感じた。あまりにも警備員が多く、観光客も多すぎる。この作品はブライトヴィーザーの脳内のリストにずっと掲げられてはいたが、それを盗むなどまともな神経ではない。それで、いくつかの展示室を見て、いつものようにこれで帰るつもりでいた。ブライトヴィーザーはアンヌ＝カトリーヌに、その前にもう一度だけあの絵を観たい、と言った。『マドレーヌ』の魅力に抗えなかった。

しかも、その絵を観るためだけにふたりは遠いところからやってきたのだ。ブライトヴィーザーは速度制限を無視し、一日でフランスの半分を横断してきた。アンヌ＝カトリーヌは運転免許を持っていない。ふたりはロワール渓谷にたどり着いた。そこは何世紀にもわたるフランス貴族の行楽地で、葡萄畑が続き、曲がりくねった川沿いに城が建っている。お伽《とぎ》噺《ばなし》に出てくるようなところだ。ジャンヌ・ダルクが謎の放浪をしていた一四二九年に滞在していたのがブロワ城だが、その閉館時間の直前に、ふたりは『マドレーヌ』のところへ舞い戻った。

展示室はまだ来館者と警備員たちでざわついていた。いつもの障害だ。しかし、盗むには新たな問題があった。額縁が二重になっている。どうすれば盗《と》れる？　絵画の入った内側の額縁は外側の額にがっちり収まっている。ブライトヴィーザーは手を伸ばしてそれに触れるまでそのことに気づかなかった。加えて、いまは夏だ。こんな暑いときに、疑惑を持たれるコートなど着てはいない。シャツを着ているが、バックパックはない。内側の額縁は縦横三十センチもないが、それを外側の額縁から外す時間があるだろうか。この微妙な大きさは難問だ。もし絵をつかみ出せたとして、それをどこに隠す？

そんな問題に頭を悩ます時間はなかった。いつものように直感に頼るだけだ。警備員たちが大勢集まってきた。予定外の集まりのようで、閉館時刻が迫るなかで何かを相談しているらしい。どうやらこの集まりはすぐに終わりそうだ。しかし、しばらくのあいだ、大勢の警備員たちはおたがいを見ているばかりで、『マドレーヌ』を見てはいない。さらに、偶然にも来館者の流れも止まった。その様子を見ていたアンヌ＝カトリーヌが、大丈夫の合図を送る。

ぐいっと引っ張ってみると、内側の額縁は数本のマジックテープで留められているだけだとわかった。テープを剝がす音は広い部屋のなかで四散し、たちまち絵が外れた。躊躇《ためら》うことなくそれをズボンの前の部分に額縁ごと押し込み、シャツを外に出した。ズボンの前が不格好に膨らんでいるが、警備員がこちらをちらっと見たとしても、背中しか見えないはずだ。絵を押し込む瞬間に背中を向けていた。それから数歩でタイルの敷き詰められた床を過ぎ、なんという魔法なのだろう、入り口の扉を通っていった。

たくさんの不確定要素があり、失敗が許されないこのような犯罪は、耐えられないほど悲惨な結果に終わりそうだが、ブライトヴィーザーは、そんなことはない、と言う。『マドレーヌ』を盗むのは、針に糸を通すようなものだった、と。手が震えなければ小さな穴であってもちゃんと糸は通せる。いまではもう盗みも百回目近くになり、かなりの訓練を積んできた。ふたりは月に三回は盗みを成功させていた。『マドレーヌ』はフランスで初期に盗んだ絵の一枚だ。大半の美術品泥棒チームは、綿密な計画を立てれば肖像画を上首尾で盗めると自慢するだろう。しかしこのふたりにとっては、その日おこなう盗みのひとつでしかない。

『マドレーヌ』に目を付ける前にふたりは、十六世紀に建てられた美しいシャンボール城でも盗みを働いていた。この城は地球上でもっとも観光客が訪れるところで、一九七一年に完成したフロリダ州のディズニー・ワールドのシンデレラ城の原型になったものだ。シャンボール城の美術館の展示ケースは城の装飾に合わせた昔ながらのもので、ブライトヴィーザーはスイス・アーミー・ナイフの技を使うことができた。

刃の先を展示ケースの下に押し込み、出し入れする場所のパネルを横にずらす。古いケースはたいていこうすれば緩《ゆる》む。それからナイフを梃子《てこ》の原理でゆっくりと押し上げると、パネルが下のレールから剝がれる。このパネルは郵便受けの蓋《ふた》のようにぶら下がっているだけで、展示ケース自体には鍵が掛かったままだ。そこから手を入れて、扇子《せんす》一本と煙草容《たばこい》れ二個をすくい上げた。それからその場の展示品の位置を動かし、パネルを元に戻した。その後二十分ほど車を飛ばして、『マドレーヌ』を盗んだのだ。

第18章

ブライトヴィーザーとアンヌ＝カトリーヌは警察に追われていることに気づいている。ふたりの犯罪についての記事が載った新聞には、目撃者がいると書かれていることもあった。地元の警察はダルシィの美術犯罪捜査班とは違って、事件について箝口令を敷かれているわけではないので、盗んでいるふたりの姿が目撃されたかどうか、目撃者の証言が正確かどうかを知ることができる。

新聞記事のなかには、法律を引用しながら、国際的な悪徳ディーラーたちが組織的に美術品を盗んでいるに違いない、と述べているのもある。イタリアのマフィアかロシアのカルテルか。ある記事には、この男女ひと組は怪しいが、男のほうは五十代から六十代だと書いてある。「あれには笑ったよ」とブライトヴィーザーは言う。彼はまだ三十になったばかりだ。

額縁をよく外すのは、盗みやすくするためだが、新聞記事を読んだ彼は、それが警察を嘲笑《あざわら》う行為であることを知る。それ以降、美術館のなかでいかにも得意げに――肘掛け椅子の上やカーテンの裏側、別の展示ケースのなかに――額縁を置くようになる。「名刺代わりだよ」と彼は言う。ブライトヴィーザーは、盗みから歓びを得ているわけじゃない、といつも言っていたが、この行為はひけらかしにしか思えない。

パトカーが自宅のそばを巡回しているのを目にするとぼくたちはパニックに陥る、とブライトヴィーザーは言う。もちろんそうだろう。ふたりは実に多くの犯罪に手を染めてきた。しかしパトカーは停まらない。彼は、捜査官にはひとり残らず、同じ致命的な欠陥があると考えている。捜査官たちは論理的に考えるから、彼らを欺くのは簡単なんだよ、と。美術犯罪について彼が勉強してわかったのは、警察は作品が盗まれたあと、泥棒の目的は三つしかないと考えているということだ。

ひとつ目の泥棒の目的とは、盗品を心のねじくれたコレクターやディーラーに売ることだ。不正直な商人はいたるところにいる。オスロ大学の調査では、不法に手に入れた美術品やアンティークの取引は四十三ヶ国でおこなわれているという。盗まれた美術品の時価は販売価格の三パーセントから十パーセントだ。有名な作品であればあるほど、このレートは低くなる。三パーセントだとすれば、百万ドルの作品の取引価格は三万ドルだ。手に入れる際のリスクを考えれば大した額ではない。所有者や国が変わり、質屋やアンティーク・ショップや画廊などを経由して、売り渡し証や本物であるという鑑定書が作られ、一年も経てばいんちきがまかり通り、小規模のオークションを経て再び表の市場に出てくる。

ふたつ目の目的は、盗難に遭った美術館や所有者から、あるいは保険会社から金を巻き上げることだ。アート・ナッピング（美術品を人質にとって脅迫する）と言われている。これは、売買できない有名な作品によく使われ、美術品の違法の世界と合法の世界――このふたつは離れているのではなく倫理的に危うい状態で交差している――に橋を架けることのできるブローカーが必要になる。作品の身代金を払うことが多くの国で禁止されているのは、払えば犯罪をさらに増やすことになりかねないからだ。それで、そうした金銭の授受については「情報報酬」といった、いかがわしい言い方がよく使われる。こうした報酬は少なくとも一六八八年から使われている。「ロンドン・ガゼット」紙にエドワード・ロイド氏が懐中時計五個を取り戻すために一ギニー（およそ一ドル五十セント）を払うという広告を出した。ロイドは後に世界規模の保険会社「ロンドン保険引受人集団ロイズ」を創設することになる。

三つ目の目的が、美術品を地下組織の貨幣の代わりに使うことだ。ファイル・ホルダーにぴったり入る高価な絵画は、泥棒が盗みやすい大きさで、場所をとらずに多額の現金の代わりになる。現金の詰まったスーツケースに比べたら、絵画は空港や国境をやすやすと越えていける。ロシアの情報機関は、ロシアでは四十以上の犯罪組織が絵画を貨幣として利用していると明らかにしている。一九九九年にサウジアラビアの王子のヨットから盗まれたピカソの絵は、地下世界の十人の手に渡り、武器やドラッグを手に入れるときに使われた。

この三つのやり方——故買《こばい》、強請《ゆすり》、代用通貨——には、あいだに何人もの人物が入ってくる。こうした取引には危険がともなう。警察が介入してくるからだ。取引現場を正確に把握することが美術犯罪捜査班の主な仕事だ。美術犯罪の捜査は、ほかの警察の業務とは違い、犯人逮捕よりも作品の奪還に重きが置かれる。「卑しい泥棒よりもレンブラントの絵のほうが大事なのは当たり前だろう?」とフランスの美術犯罪捜査官ダルシィは言う。

捜査官たちは地下組織と接触したり、盗聴したり、盗まれた美術品のデータベースを別の角度から確認したりしながら、オークションの目録を丹念に調べていく。世界最大のデータベースである、ロンドンが本拠地のアート・ロス・レジスター《行方不明の美術品目録》には五十万点以上が掲載されている。その数は日ごとに増えていて、いかに大量の美術品が盗まれ、しかも発見されずにいるかがわかる。奪回できるのは全体の一割にも満たない、とダルシィは言う。犯罪をすべて解決するには、盗んだ人物と盗まれた作品の両方を押さえなければならず、そんなことは滅多にできない。美術館に収蔵されていた作品なら、取り戻すための金額は信じられないほど高くなる。ざっと見積もって正規の取引価格の五割。九割を要求した犯罪組織もある。有名な絵画を探し出すためには、優れた捜査官がおとり捜査をすることもままある。

一九九四年、冬季オリンピックがノルウェーで始まった朝、ふたりの男がオスロにある国立美術館の外壁に梯子《はしご》をかけ、二階の窓を割った。警報が鳴り響いたが、警備員は誤作動だと思い込み、リセットした。ふたりの男はエドヴァルト・ムンクの『叫び』が固定されているワイアを切り、絵を持って慌てて逃げていった。このふたりは、梯子、ワイア切断器、ノルウェー語で「たるい警備で助かった」と書かれたメモを残していった。ノルウェーには美術犯罪を取り締まるチームがなかったので、美術品追跡にかけては右に出るものがない英国連邦の「美術アンティーク班」の凄腕チャーリー・ヒルが捜査のためにノルウェーの警察に招かれた。

ヒルはさまざまな人物に変装できるが、そのひとり――早口でまくし立てる口の悪い、道徳心がまるでないディーラー――に身をやつした。おとり捜査は芝居で演じているみたいなものだが、ただし、しくじったら拳銃で頭をぶっ飛ばされることもある、とヒルは言う。派手な服を着るのが好きで、アメリカン・エクスプレス・カードにはおとり捜査用の名前が浮き彫りになっている。三ヶ月を費やしてノルウェーの泥棒たちと接触し、彼らの信頼を勝ち取り、現金を使って罠にかけた。遠くフィヨルドを望む小屋で『叫び』を回収した。地元の警察が四人の共犯者を逮捕した。

美術品泥棒で、盗んだ作品を壁に飾ったりそれを愛でたりする者はほとんどいない、というのが普通の見解だ。小説や映画では、美術品泥棒には芸術的センスや洗練された論理が備わっていることになっているが、美術犯罪を担当する捜査官にとっては、そんな架空の人物はどれもこれも噴飯物だ。ブライトヴィーザーを追いかけているスイスのアレクサンドル・

フォン・デアア・ミュールは、携帯電話の着信音にジェームズ・ボンドのテーマソングを使っている。最初のボンド映画『ドクター・ノオ』に敬意を表しているからだ、と彼はいたずらっぽく言う。この映画の悪党の隠れ家には美術品がたくさん置かれていて、そのなかにフランシスコ・ゴヤの『ウェリントン公爵』の肖像画がある。

『ドクター・ノオ』は一九六二年に公開され、ショーン・コネリーがボンドを演じた。その前年に、実際にゴヤの肖像画がロンドンのナショナル・ギャラリーで盗まれていた。そしてジェームズ・ボンドの映画製作者はその、まだ行方不明中の名画を映画のなかにギャグとして取り入れた。実際の泥棒は、体格のがっしりした失業中の元タクシードライバーで、夜になってからナショナル・ギャラリーのトイレの窓を這《は》い上り、そこから出入りしていた。この泥棒は『ウェリントン公爵』を茶色の紙に包んでベッドの下に隠していた。その絵を現金に換えるために四苦八苦しているあいだも、絵についてはひと言も妻に打ち明けなかったらしい。四年後に彼はとうとう音《ね》をあげて、この絵画をただで手放した。

とんでもなくしくじったゴヤ泥棒は、大勢の泥棒の代表みたいなものだ、と『叫び』を救い出したチャーリー・ヒルは言う。「ドクター・ノオなどいやしません」と美術犯罪捜査班の担当者は口を揃えて言う。「芸術のことに詳しい奴や、絵画に気を配っている泥棒などひとりもいませんよ」とノア・チャーニイは言う。彼は美術犯罪捜査機構を創設した教授だ。フォン・デア・ミュールやダルシィのような捜査官には、追いかけている泥棒たちが金のためではなく歓びのために盗みを働いている、などとはとても考えられないだろう。それでは、捜査官が期待しているような、美術品を金に換えることなど絶対に起きない。

ブライトヴィーザーは、警察をさらに混乱に陥れるためにできるだけとっぴな盗みをしつつ、絶対に捕まらないと思っていた。アンヌ＝カトリーヌとともに、フランス、スイス、ドイツ、オーストリア、オランダを股に掛け、街から村へ、さらに町へと動きまわり、美術館やオークション会場や美術展覧会で物色し、銀製品、彫刻、絵画を奪っている。ぼくたちが警察に捕まる可能性はゼロだ、と彼は信じている。

第19章

盗みを始めたころには、ブライトヴィーザーは美術館を見れば入っていき、中世の作品からモダニズムの初期作品まで、千年のあいだの美術品を手当たり次第あさっていた。手に入れたものは自分が魅了されたものだけだが、いくつかは——とりわけ時代の古いブロンズ製の武器に対して顕著だが——恋愛と同じように、愛情が深まることなく、どうしても手に入れたいという思いは色あせていった。

屋根裏部屋に物が溢れるにつれて、彼とアンヌ＝カトリーヌはベッドでのんびり寛ぐことが多くなり、自分たちがどのような作品に惹かれるのか、その理由を突き止めようとした、と彼は言う。彼は額縁店で、同じような美術に関する議論をメイヒラーとし、さらに図書館で研究することで彼の感覚はよりいっそう研ぎ澄まされていった。自分の魂が揺さぶられるものについて、彼にはよくわかっていた。十六世紀及び十七世紀に北ヨーロッパで作られた作品だ。いま盗んでいるどの作品にも、彼は揺るぎない愛情を注いでいるようだ。

彼がどうしてそのような趣味を持つにいたったのか、突き止めることができるのだろうか。無理かもしれない。つい最近まで、芸術がなぜ存在しているのかさえだれにも説明できなかった。芸術は自然淘汰というチャールズ・ダーウィンの理論とは正反対のもののように思える。自然界では種は、過酷な状況を生き抜くために、非効率的なものや無駄を削ぎ落としていくしかない。芸術作品を創るには時間も努力も資金もいるが、それが衣食住を保証してくれるわけではない。

しかし芸術は、地球上のあらゆる文化に存在している。スタイルは多様だが、言語の違いを超えたところにある。多くの芸術理論は、芸術がいたるところに存在しているのは人間が自然淘汰を乗り越えたからだとしているが、芸術にはもしかしたら仲間を惹きつける方法として進化してきたのかもしれない。芸術は、生存の危機とはかかわりのないところから生まれる。余暇が生み出すものなのだ。われわれの頭脳という、宇宙でもっとも複雑な器械と言われているものは、捕食者から逃げるために寝ずの番をすることや、食糧を確保することからすっかり解放され、遊んだり探検したり、目が覚めているときも夢を見たり、神の視点を共有したりするために想像力を使えるようになった。芸術は人間が自由であることの証左だ。進化の戦いに勝利したからこそ存在しているものだ。

社会学者が大規模な調査をおこない、どの国においても芸術が愛されていることを報告している。人々は樹木が生い茂り、水が流れ、動物たちのいる風景を好む。世界でもっとも人気のある色は青であり、これは他の色を圧倒している。ぎざぎざした形やオレンジ色は好まれない。しかし、色の働き方は光の波長があるからこそわかるので、物体はその波長をうまく吸収できず、反射したり投射したりする。黄色はバナナにはあまりそぐわない色だ。人の視覚は物体のすべてを上下逆転した姿で脳に写すので、われわれの頭脳は世界をまともな形に構築するために多大なエネルギーを要する。人々の文化的背景の違いによってその地域の人々が何を魅力と感じているかがわかる。たとえばイランでは絨毯を、中国では書を、スーダンでは椰子の葉の籠《かご》を魅力的だと思う。そうした社会のあり方を示す特徴とは別に、芸術作品に惹かれるのは、人の出自と深くかかわっている。何を美しいと感じるかはその人の主観による。

あるいは主観ではないのかもしれない。二〇一一年、ロンドン大学のユニヴァーシティ・カレッジ・ロンドンの神経科学の教授セミール・ゼキはＭＲＩを使い、自発的に協力してくれた人々が小さな画面で芸術作品を見たときに脳の神経活動の動きがどうなっているかを追跡した。それで発見したのは、美を感知する特定の場所――豆粒大の丸い突出部が目の後ろにあった――だった。美は、詩的にではなく正確に表現すれば、人間の眼窩前頭皮質にあるのだ。

ブライトヴィーザーが心を奪われるのは油絵具だ。しかも、亜麻の種を絞って作られ、発光色を生み出す半透明な特性を持つ油絵具だ。北ヨーロッパではルネッサンス期に絵具が油絵具へ変わったが、フィレンツェなどの南ヨーロッパでは相変わらずテンペラ絵具を使っていた。テンペラ絵具は顔料を結合させるための薬剤として卵の黄身を用い、ずっと抑えた色合いが出せる。色合いのほかに、ブライトヴィーザーの盗んだ絵画には田舎の生活を描いたものが多いが、そうした絵から自由の精神が得られたからかもしれない。また彼は、個人主義の時代の作品に魅了されている。この時代、ヨーロッパの画家たちは教会からの制約から解放され、想像力とスタイルで勝負できるようになった。絵画に署名するようになったのもこのころからだ。

ブライトヴィーザーはピカソを盗むことには関心を示さない。現代美術を観ても体が熱くならない、感じ取るというよりばらばらにされるみたいだ、と彼は言う。ティツィアーノやボッティチェッリ、レオナルド・ダ・ヴィンチなどルネッサンス期のスーパースターの作品も「みごとなもの」で「素晴らしい」とは思うが、それ以上ではない、と言う。こうした画家たちが富裕階級のパトロンに隷属し、パトロンたちは作品の構図や画法、色にまで口を出していたことがわかるからだ、と。偉大な画家たちは才能だけでやすやすとこなす場合が多く、感覚を完全に研ぎ澄ませることはせず、それがすべてを台無しにしている、と彼の目には映る。それほど才能はなくても感情を誠実に描き出す画家のほうに自分は惹きつけられるのだ、と。

それに、そうした絵のほうが、大がかりな絵よりもはるかに盗みやすい。彼がいわゆる「キャビネ判の絵」を盗《と》っていくのは、上着の下に隠しやすく、屋根裏に飾るのにぴったりだからだ。ルネッサンス期、キャビネ判の絵は路上で売られていた。新たに登場した中流階級の家庭にふさわしいサイズだったからだ。こうした作品を観ていると、明るく健全な感覚が呼び覚まされる。この感覚は、高貴さを強調するために描かれた巨大で大袈裟な絵画を観ても引き出されない。

彼が盗んだ煙草容《たばこい》れやワイン・ゴブレット、実用品などは、機能的に美しい形をしている。これは一八〇〇年代初期のヨーロッパ産業革命の前に作られたものだ。その当時まで、どの作品のどの部分も巧みな技術と長い時間の労働によって手で作られていた。エンジンと電気の登場と大量生産によって人々の暮らしは楽になったが、こうした進歩は世界をどんどん醜悪なものにしていき、もう後戻りすることができない、とブライトヴィーザーは言う。かつて熟練の技は親方から見習いへと、ひとつの世代から次の世代へと受け継がれ、独創性を徐々に確立させていった。ところがいまや工場が、安くて均一で使い捨ての部品を大量生産している。機械生産に取って代わられる前の時代は、人間の文明の最高潮にあり、美意識と技術がこれ以上ないほどみごとなものを作りだした。彼が盗むのはその時代のものだ。時間は無情に進んでいく。しかし彼は、郊外の狭い屋根裏部屋では時間が進まないよう願っている。

第20章

一九九七年の一月、アンヌ＝カトリーヌの冬の休暇が近づいてきた。このころふたりは、この二年間で四週のうち三回は盗みを働いていたことになる。いくつかの美術館では、一度に複数の作品を盗んでいた。もっともこのペースはふたりで犯した盗みの回数であり、ブライトヴィーザーの単独での盗み——ひと月に一回か二回——は含まれていない。二百点もの作品が屋根裏部屋に飾られている。

ふたりの関係は永続的で強固なものだ、とブライトヴィーザーは思っている。晴れた日には、お揃いのフィッシャーマン・セーターを着て散策することもある。「双子みたいだろ」とブライトヴィーザーは笑みを浮かべる。長距離ドライヴでは、アンヌ＝カトリーヌは彼の肩に頭を載せて眠ることがよくあり、距離などなんの問題もなくなる。ふたりは五年以上いっしょに暮らしてきた。

アンヌ＝カトリーヌはふたりの関係を楽観的に見ていたわけではない、と彼女をよく知る人たちは言う。つきあいは続いているが、彼女はボニーとクライドのボニー役を演じていただけだ、と。警察はまだふたりの家を見つけられずにいるが、新聞には警察が近辺を嗅ぎまわっていることが書いてあるので、ふたりはそのことを知っている。半年前のアンヌ＝カトリーヌの休暇のとき、ノルマンディまで行って盗みばかりをして過ごした。そこにいるあいだにも、地元の「ウェスト・フランス」紙の見出しにでかでかと「美術館で強盗」という文字が躍り、その下に盗まれた作品の写真が載っていた。その記事を見て彼女は恐怖を覚えた。ふたりは旅行を切り上げて急いで家に帰った。

アンヌ＝カトリーヌの今度の休暇は、警察を煙《けむ》に巻くには絶好のチャンスに思えた、とブライトヴィーザーは言っている。盗みをやめるのではなく――彼は休養など求めていない――もっと遠くの美術館をあさりにいくために。国境が開かれているEUでも、警察は言語の壁もあって情報を共有するのが得意ではないようだった。ひとつの国のなかでふたりの大胆な犯行がばれそうになると、たいていはアンヌ＝カトリーヌがその兆候を察知して、すぐに別の国へ移動する。フランスにある屋根裏部屋からは、一日ほど車を飛ばせば十ヶ国以上の国へ行くことができる。

ブライトヴィーザーはパンフレットや旅行案内書をよく読む。頭のなかにある絵画のリストを思い浮かべる。ベルギーで週末を過ごすことにする。これまでベルギーで盗みを働いたことはない。ふたりはそこで警備の様子を観察して帰り、二週間後に迫るアンヌ＝カトリーヌの休暇のときに長期間滞在することに決める。一九九七年一月の土曜日の夜明けごろ、ふたりは車で出発する。

屋根裏にある二百点の作品では充分ではないというなら、どこまでいけば充分なのか。ドイツの精神分析医ヴェルナー・ミュンステルベルガーは『蒐集　その手に負えない情熱』の著者だ。そしてこの本は、直情型の蒐集家について書かれた信頼すべき教科書といえる。二〇一一年に亡くなったミュンステルベルガーは、医学、人類学、美術史の三つの分野で博士号を取得している。彼によれば、不健康な蒐集とは、寝室の棚をスノードームでごちゃごちゃにすることではなく、その人の人生を奪い尽くすことであり、社会に居場所がないと感じて鬱状態になりやすい人が陥りやすいという。有意義な蒐集品は、社会から疎外された者に「隔離された私的な世界に魔法のように入り込める力」を与えることができる。定期的に物を探し求めたり集めたりすること――人間の根源的な営み――は、彼らに価値ある生き方をしていると思わせることのできる唯一の活動なのである、とミュンステルベルガーは書いている。

ニューヨーク市のジョン・ジェイ刑事司法大学の教授エリン・トンプソンは、アメリカ合衆国で美術品泥棒を専門に研究している唯一の人物だ。トンプソンは二〇一六年に『自分のものにする』という本で次のように書いている。蒐集家で盗みをする者のなかには、ある作品に対する自分の愛着のほうが、美術館や法的な所有者が抱いている愛着よりはるかに強く深いと信じている者もいるので、それを盗むことに罪悪感を覚えないのだ、と。愛する作品を美術館に観にいくのが犯罪者の蒐集家にとって耐えられないのは、作品に「触れる歓び」、つまり文字通り「過去との接触」を否定されるからだ、とトンプソンは言う。

「本物の蒐集家たちの盗みに共通しているものがひとつある」とミュンステルベルガーは警告している。「それは果てしがない、ということだ」。もっと集めたいという飢餓状態を抑えることができないのだ。ミュンステルベルガーによれば、ブライトヴィーザーのような人間が、これでもう充分だと感じる時は絶対に訪れない。脳科学者も同意見だ。過剰に物を蒐集するのは、刺激制御不全を引き起こす神経科学的なアンバランスによる可能性があり、それで集めることをやめられずに犯罪に走る蒐集家を生み出しているのかもしれない、とスタンフォード大学の神経科学者たちは指摘している。脳内の物質の噴出がもっとも高くなるのは、作品を入手したときではなく、追求しているときだ、と専門家は言っている。追求するときのほうが宝物そのものより輝きを放っていれば、人は追求をやめようとしない。蒐集中毒者の果てしない欲求がこれで説明できる。ブライトヴィーザーは検査を受けなかったので、彼の脳がどのような状態かはわかっていない。

やめられないものをどうやってやめるのか。その答えは、失敗、悪運、警察だ。ブライトヴィーザーはこれまで悪運に恵まれ、怪しい動きをして目立つことなく、しくじっても正体がばれることがなかった。スイスで盗みを働き、油絵をズボンのなかに押し込んでいるとき、ピエール・カルダンのベルトの大きなバックルが外れて床に落ち、バンという大きな音を立てた。警備員がそばにいた。その警備員がしたことといえば、ブライトヴィーザーのほうをちらっと見ただけだった。ブライトヴィーザーはそれ以来大きなバックルのベルトは身に着けていない。

ふたりがベルギーを初めて訪れたとき、行き先は首都ブリュッセルだった。そこまで車で六時間もかかったのは、高速道路の料金を払わず、曲がりくねった一般道を走ったからだ。旅行資金はぎりぎりで、ふたりで使うのは一日百ドルと決めた。すべて割り勘にした。それにヨーロッパの高速道路を使えば瞬《またた》く間に資金が底をつく。高速道路があることを受け入れてもいいが、料金を払うつもりはない、とブライトヴィーザーは言う。ハイウェイは風景のなかを強引に裂くように伸びていて、そんなものに金を払うのは最低だ、と。田舎道は風景に溶け込んでいる。ふたりは窓を下げ、農地や街角のパン屋のある風景を思いきり愉しみ、ときには古い村の小径を通るためにサイドミラーを折りたたむこともする。

早めに出発したおかげでブリュッセルにはお昼ごろに到着する。車を停めるのはブライトヴィーザーにはたいした問題ではない。美術館のそばならどこでもいい。ふたりは車で一日散に逃げ去るタイプの泥棒ではない。ヨーロッパ最大の美術館のひとつ「芸術と歴史博物館」

に駐車する場所を見つける。この博物館は大理石の支柱と巨大な丸屋根のある新古典主義様式の建物で、ベルギー版のルーヴル美術館だ。ブライトヴィーザーがパリのルーヴル美術館から盗んだことは一度もない。アンヌ＝カトリーヌが危険すぎると言って禁じているからだ。しかしブリュッセルのこの大きな国立博物館は、ふたりがルーヴルのようなところで盗みを働くとしたらいちばん手ごろだ。大きなところで盗むのは、完璧なまでの歓びを感じるためだ、とブライトヴィーザーは言う。

第21章

真っ先に注意を引いたのは展示ケースだ。すぐに盗めるようなケースだが、彼の気に入った作品はそのなかにない。彼は中世のものには批判的だ。立派すぎる感じがする。広大なブリュッセルの博物館のなかをアンヌ＝カトリーヌとふたり。ルネッサンスの展示室に向かってゆっくり歩いていくと、目を引いたのはその展示ケースのなかの展示の仕方だった。

すでにだれかがなにかを盗んだ後のように見える。しかもつい最近、ずさんな盗み方をしたように見える。この泥棒は、警備員が展示ケースのそばを通っても通常通りに見えるように、残っている品を動かして整えることをせずに逃げたらしい。そのときブライトヴィーザーは、半分に折られたインデックスカードが展示物のなかに小さなテントのように置かれているのに気づく。身を屈めてよく見ると、カードに記された文字が見える。フランス語で「研究のために持ち出し中」と書かれている。盗まれたのではなかったのだ。それで彼は自分のスイス・アーミー・ナイフに手を伸ばす。

展示室をいくつか通り過ぎると、ある展示ケースに惹きつけられる。そこにきらめいているのは彼が二番目に好きなものだ。芸術的素材の「個人的夢中度ランキング」と彼が勝手に呼んでいるものによれば、一番は油絵で三番目は象牙だという。銀が二番なのだが、彼が好むのはそのなかでも特別なものだ。十六世紀後半のドイツ南部の、アウクスブルクやニュルンベルクといった敬虔なプロテスタントの町の周辺では、銀細工職人たちのコンテストが活発におこなわれていたらしい。最高級品の華麗な銀細工を作れるのがだれか、その技を競うものだ。二百年ものあいだに水準の高い新たなデザインが生まれた。そうした作品が当時の「ファベルジェの卵」だった。ヨーロッパ中の王室がそれを求めたが、いまも銀細工のなかでは特別に高価なものだ。

大きな展示ケースのなかには、十五個ほどの貴重な宝物が収められていた。ドラゴンや天使や悪魔が巻き付いているデザインの杯、ゴブレット、タンカード〔白鑞製の蓋《ふた》付き大ジョッキ〕。その中央に、小さな台に載ったとりわけ素晴らしい戦艦がある。まるで晩餐会の食卓中央を飾るかのように、銀の帆がいくつもたなびき、銀の兵たちが銀の甲板の上で銀の大砲を撃っている。ケースのなかにあるものはすべて、屋根裏部屋に置くにふさわしい。

展示室には防犯カメラがある。その視野はちょうどこの展示ケースのところで終わっているようだ、とブライトヴィーザーは計算する。しかし、そこを歩くときには充分に気をつける必要がある。警備員が来ないあいだに手際よくやらなければならない。展示ケースだけが困難な相手だ。いつものやり方――アクセス・パネルとシリコンの薄い皮をこじ開ける――では、中の銀細工をつかめるほど隙間が作れない。パネルをすっかり押し上げなければならないが、現代の錠が設置されているので、事実上、開けることは不可能だ。

彼はつい最近、フランスの金物専門の巨大小売り店「ラペレ」で働いたことがあった。そのとき思いがけない偶然だが、扉と錠の担当に割り当てられた。そこで学んだのは、かなりの割合で錠というのは――そのなかにこの展示ケースのものも含まれるが――正しく設置されていない、ということだった。彼はスイス・アーミー・ナイフの切っ先を錠に当て、取っ手のところを掌で強く打ち付ける。するとシリンダーがポンとはじけて展示ケースのなかに転がり落ち、ケースの入り口にはドリルできれいに開けられた穴が覗く。

最大の目標は戦艦だが、大きすぎて取り出すことができない。飲み物の容器にしたほうがいい。銀細工職人たちが競った時代は、ヨーロッパでは探検時代と重なり、彼にとって最高に美しい作品とは、駝鳥の卵やココナッツといった新しい驚異の素材が組み込まれたものだ。そのなかでも魅了してやまない最高傑作は、オウム貝の殻でできたワインの杯で、人の想像力と自然界の幾何学模様が完璧なまでに組み合わさっている。ブライトヴィーザーはアンヌ＝カトリーヌに、見張りをしている戸口から自分のほうへ来るよう合図する。ふたりはケースのなかを見つめる。オウム貝のふたつの作品のうちどちらを持ち帰るか決めかねている、とブライトヴィーザーは彼女に言う。

「両方とも」とアンヌ＝カトリーヌは言う。彼女のバッグのなかに入れたらいい、と。銀器は彼女にとっても情熱を傾ける対象で、素晴らしい銀細工を見て、大きさに対する警戒心がすっかり弱まる。彼は杯のひとつを滑らせるようにして彼女のバッグに入れ、それからもうひとつのほうは自分の上着の下に隠す。ココナッツのジョッキを容《い》れるだけの余裕がまだある。彼は、前の部屋の展示ケースから盗んだ唯一の作品をポケットから引っ張り出す。「研究のために持ち出し中」と記されたカードだ。それを残された銀器のあいだに置き、ケースの入り口を閉め、展示ケースからつかみ出した錠を元通りに穴に差し込む。

　車まで来たとき、ブライトヴィーザーはココナッツのジョッキの蓋を忘れてきたことに気づく。クソッ。一部が紛失していたり修復がされたりしたものは、嫌な感じがするものだ。コレクションに入れる作品は完全なるオリジナルで、完璧な姿でなければならない。アンヌ＝カトリーヌには、ココナッツのジョッキが元通りの姿でなければ恋人が少しも喜ばないことがわかっている。美術館からうまく出てきたことなど嬉しくもなんともない。彼女はイヤリングの片方を外して館へと戻り始める。ブライトヴィーザーが彼女に続く。彼女は正面入り口の警備員のところまで行くと、イヤリングをなくしたのだが、どこにあるのか見当がついている、と告げる。それでふたりは入館を許される。展示ケースのところまで戻ると、ジヨッキ用の蓋を手にし、そうしながら二個のゴブレットもついでに手に入れる。

道草をしながら車でフランスに戻るあいだ、彼はある計画を思いつく。カメレオンになればいいんだ、と彼は言う。続く二週間でブライトヴィーザーは鬚《ひげ》を伸ばす。アンヌ＝カトリーヌは髪型を変える。彼女の休暇が始まると、再び六時間かけてフランスからドイツ、ルクセンブルク、ベルギーへ車を進める。ふたりは処方箋不要で買えるレンズのついた丸縁の眼鏡をかけ、芸術と歴史博物館へ再び入っていく。

「研究のために持ち出し中」のカードはまだそこにある。二つ折りになったインデックス・カードは、彼がこれまで使った泥棒道具のなかでもいちばん実用的だ。彼は堂々と戦艦に手を伸ばす。この戦艦のことをずっと考え続けてきた。銀の戦艦が、誕生日の風船ほどの大きさの壊れやすいものが、アンヌ＝カトリーヌのバッグのなかに入る。バッグはかなり膨らんでいる。ブライトヴィーザーも高さ六十センチほどの杯を手にしてコートの左袖のなかに押し込む。腕をまっすぐに伸ばさなければならないので兵隊のような不自然な歩き方になる。

出口に向かうと、警備員に止められる。完全犯罪であっても、危機的な瞬間というのはあるものだ。犯罪を完璧にするには、危機への対応が大事だ。警備員は、ふたりが入館することに気づかなかったので、入場券を見せてもらいたい、と言う。アンヌ＝カトリーヌの入場券はバッグのいちばん下にある。ブライトヴィーザーの入場券は左のポケットのなかだ。左袖のなかに銀の杯が入っているので、彼はぎこちなく体を捻り、右手を伸ばして入場券を引っ張り出す。

ぼくたちは、いまにも逮捕されそうな瀬戸際にいる、と彼は思う。彼は警備員の目を見て言う。「美術館のカフェでランチをとろうと思ってね」と、しっかりした声を出す。いちばん自然なことを言ったのだとたちまち理解する。警備員の疑念が氷解する。犯罪者は盗みの途中で食事をしたりしない。ふたりは美術館で食事をとる。そのあいだも彼女のバッグは膨らんだまま、彼の左腕はまっすぐに伸ばされたままだ。

ふたりはブリュッセル空港の近くのフォルミル・アン・ホテルに四十ドルで部屋を借りている。ふたりが気に入っている安ホテルだ。ベッド脇のテーブルに杯と戦艦を置く。ブライトヴィーザーは銀行口座はあるが、小切手帳もクレジット・カードも持っていない。行動を追跡されないようにするためだ。ふたりはすべてを現金で支払う。もし保証金代わりにカードを要求されたら、アンヌ＝カトリーヌのカードを使う。旅行をしているときの夕食は、安くて腹を満たすためだけのものになる。たいていはピザですます。ベッドに入る前に、彼は電話をかける。世界一の美術品泥棒は、身の安全を伝えるために毎晩母親に電話をかけなければならない。電話をかけずにいると、母親は彼の身を案じる。旅行中の出来事をいろいろ母親に話すが、もちろん、盗みのことは言わない。

その翌日、さらにその次の日も、ふたりは美術館には行かず、映画を観に行く。ブライトヴィーザーはテレビが嫌いなのでめったに見ることはないが、映画はもの思いから解放させてくれる。アンヌ＝カトリーヌと暗闇に座っていると浮遊しているような気持ちになる。どんなジャンルの映画でもかまわない。映画で選り好みはしない。好きな美術品泥棒の映画は、ピアース・ブロスナン主演の『トーマス・クラウン・アフェアー』だという。

羽根を伸ばした二日間のあと、ふたりは再び姿を少しだけ変える。アンヌ＝カトリーヌはホテルの流し台で髪を染め、ブライトヴィーザーは野球帽を被る。変装用の眼鏡は捨てる。ふたりは三度目に芸術と歴史博物館に入っていき、さらなる銀器を盗む。結果的に、三週間もせずに、同じ博物館で十一点もの美術品を略奪した。「研究のために持ち出し中」のカードが入った展示ケースはほとんど空っぽだ。彼の多幸感は帰宅の途上でも続き、世界を手に入れたような気持ちを抑えられなくなる。金と銀でできた大きな壺を正面のウィンドーで展示しているアンティーク・ショップの前で車を停める。

アンヌ＝カトリーヌは、彼が店に入っているあいだ、入り口付近で待っている。店の主人が階段の上から、いますぐに参ります、と下に向かって呼びかけるが、階段を下りてみるとそこにはだれもいない。壺もない。ふたりは盗みに酔いしれて有頂天になってフランスに戻り、さらに面白半分にアンヌ＝カトリーヌはアンティーク・ショップに電話をかけて、ウィンドーにある十七世紀の壺はおいくらかしら、と尋ねる。十万ドルです、との返事だ。「マダム、ご覧になるべきです」とディーラーが付け加える。彼はその壺が消えていることにまだ気づいていない。

第22章

銀器の大収穫から四ヶ月後のこと、スイス・アルプスのルツェルンの中世の街並みを歩いているとき、ふたりは小さな私営の画廊に立ち寄る。滅多に民間の画廊から盗むことはしないし、アンヌ＝カトリーヌの直感は時間がないことを告げている。この画廊は狭く、客はふたりだけで、従業員らしい二名が落ち着かなげにアンヌ＝カトリーヌたちを見ている。「なにもしちゃだめよ」とアンヌ＝カトリーヌは警告する。「まずい感じがする」

彼女の助言は的を射ていて、ブライトヴィーザーもそのことはよくわかっている。しかもこの日は暑く、彼は上着を着ていない。さらに、通りを挟んで向こう側にはルツェルン中央警察署がある。警察署のそばでは盗みをしないという規則はないが、警察署があること自体、悪い予感がする。

しかし、ドイツの鬼才ウィレム・ファン・アールストの輝くような静物画が無防備に、盗《と》ってくれといわんばかりに、飾ってある。屋根裏部屋にファン・アールストがなければ、彼の世界は未完成だ。危険はなんとかしのげそうだ。従業員はたいしてこちらを注視していないし、入り口の扉まではほんの数歩の距離だ。額縁を外す必要もない。上着などなくても大丈夫だ。

「大丈夫」と彼はアンヌ＝カトリーヌにそっと言う。「どうすればいいかわかってる。愛してるよ」彼は彼女の唇に軽くキスをし、ファン・アールストの絵を壁から持ち上げ、腋の下《わきのした》にまるでバゲットのように挟んで店から出ていく。心配することなど何もない。ふたりが二十歩ほど進んだところで、ブライトヴィーザーは後ろからいきなり乱暴に肩をつかまれ、振り向かされる。画廊の従業員と顔と顔を突き合わすかっこうになる。

「その絵をどうしようっていうんだ?」と男が鋭い口調で言う。

ブライトヴィーザーはその場に固まったまま、言葉にならない言葉をおどおどと言うだけだ。自分がなんと言い訳したのかは覚えていないが、相手の言葉ははっきりと覚えている。「この嘘つきめ! 警察に突き出してやる」。その男の手が、がっしりとブライトヴィーザーをつかんで放さない。

アンヌ＝カトリーヌは逃げることもできたが、その場に留まり、恋人を放してくれと頼む。「放してください。どうかお願いします」

もし警察署が近くになかったら、彼らはうまく言い逃れができたかもしれないし、あるいはブライトヴィーザーが身をよじって男の手から逃れることができたかもしれない。ともかくふたりは逮捕され、別々に警察の拘置所に連れていかれる。

地下の監獄に入れられたブライトヴィーザーは、まるで水のなかに閉じ込められたような感じがし、息ができない。冗談のように盗んだりして、なんて愚かだったのか。アンヌ＝カトリーヌの助言を聞き入れるべきだった。警察に精神的に追い詰められたら、彼女はなにもかも話してしまうだろう。警察はきっと母親の家を捜索する。すでに家に向かっているかもしれない。一九九七年五月二十八日だ。まだ二十六歳にもなっていないのに、人生はもう終わった。夜の闇がじわじわと這《は》い上ってくる。

翌朝、彼は刑務所のヴァンに押し込められ、鉄格子のなかに座らされ、裁判所まで移送される。アンヌ＝カトリーヌも同様に、鉄格子のある車で裁判所に向かっている。ふたりはさりげなく言葉を交わすことしかできない。彼女がほかの盗みのことは一切話していないことが彼にはわかる。ふたりの屋根裏部屋は秘密のままだ。そこに希望はある。

「ひとつだけは認めなければだめだ」と彼が囁《ささや》く。「盗みをしたのは今回が初めてということだ」。アンヌ＝カトリーヌはわかったと頷く。

法廷では判事の前で陳述する際に、ブライトヴィーザーはあることないこと涙ながらに告白する。これまで盗みをしたことは一度もありません、ぼくはどうかなっていたんです。恋人は今回のことについてなにも知りません。心から反省しています。二度としません。どうか許してください。

裁判官は彼の言葉を信じたようだ。ふたりともスイスでの犯罪歴はなく、美術犯罪を専門に扱う捜査官アレクサンドル・フォン・デア・ミュールに問い合わせてみようと思う警官もいない。デア・ミュールはのちに、問い合わせがないことには驚かない、と言う。警察官のなかには美術犯罪捜査班が存在していることすら知らない者も多い。後々の公判では、アンヌ＝カトリーヌとブライトヴィーザーの刑罰が決められることになるが、今回は保釈金を払って保釈される。

警察はすでにブライトヴィーザーの母親を呼び出し、息子さんが美術品を盗んで捕まったと伝えていた。母親ステンゲルはアンヌ＝カトリーヌと同じように今回とは別の盗みについてはなにひとつ話さないが、もはや息子の犯罪を知らなかったと言い張ることはできなくなる。ステンゲルはふたりの保釈金を払う。ブライトヴィーザーによれば、ふたりは頭が真っ白な状態で車で家路についた。

ステンゲルは息子に対してこれまでずっと寛大に接してきた。子どものころに万引きをしたときも、警官と激しい口論をして二回逮捕された後も、家賃も払わず恋人と同棲しているあいだも、彼女は文句一つ言わなかった。しかし、ルツェルンで息子が勾留されたことを知って、彼女の我慢もとうとう限界に達し、怒り心頭に発する。それで、これまで長らく心に閉じ込めておいた答えられない質問を息子にぶつける。「頭がどうかしちゃったんじゃないの？　自分がどれだけひどいことをしたのかわかってるの？」。飛行船ヒンデンブルクのように、彼女は爆発炎上し、十分後に萎《しぼ》んだ。

いつも息子を無条件に庇ってきた母親としての一面が、再び現れる。高額なスイスの弁護士を雇う。その弁護士はこの事件を、「若気の至り」であり最初の非暴力の犯罪という筋書きで押し切る。そしてブライトヴィーザーもアンヌ＝カトリーヌも法廷に一度も顔を出さずにすむ。ふたりは執行猶予付きの判決を得て、二千ドル以下の罰金、三年間のスイスへの入国禁止となる。それだけだ。この事件は、なかったかのように忘れ去られる。

法的にはそうだ。だが、感情については、事態はもっと複雑だ。アンヌ＝カトリーヌはこの逮捕で、これまで抑えつけてきたあらゆる恐怖が一気に目覚めたように感じる。自分の将来についてひどく不安を覚える。彼とは六年近くいっしょにいるのに、いまだに母親の家の屋根裏部屋で同居している。ブライトヴィーザーはここを出てふたりだけの場所を見つけると言い続けているが、それは夢物語だと彼女にはわかっている。彼の稼ぎはゼロなのだ。それにもしも美術品といっしょに別の場所へ引っ越すことができても、大量の略奪品のなかで暮らすのであれば、本当の自由を手に入れるなどできるはずがない。警察はふたりをずっと追いかけるだろう。美術品といっしょにいるふたりが発見されたらどうなる？　どんな結末になるのか。

ルツェルンで逮捕される数ヶ月前のこと、アンヌ＝カトリーヌは妊娠していることを知った。家族ができれば、犯罪者として金目のものが詰まった部屋で暮らす人生よりはるかに充実した生き方ができるかもしれない。しかしこんな制限されたなかでは子どもを産む選択肢などない。刑務所の恐怖が絶えずのしかかる。美術館を訪れてももう愉しくない。

アンヌ＝カトリーヌは妊娠したことをブライトヴィーザーに告げなかったので、彼はなにも知らないままだった。彼女はブライトヴィーザーの母親には伝えた。息子には献身的な愛情を注いでいたが、ステンゲルはアンヌ＝カトリーヌと同じことを感じていたらしい。息子は父親になるにふさわしくない、と。ふたりの女性はドイツとオランダへの車での旅を計画し、一度だけでも三人で休暇を過ごすよいチャンスだ、とブライトヴィーザーを説得する。この旅でもブライトヴィーザーは、三人で訪れた城で銀器を盗んだが、それを見たのはアンヌ＝カトリーヌで、母親が目にすることはなかった。

城へ行った翌日、アンヌ＝カトリーヌはブライトヴィーザーに、婦人科の問題が持ち上がったので、ここオランダの病院の予約を取ったと伝えた。彼は病院の前で彼女と母親を降ろした。実を言えば、これはあらかじめ計画されていたことだった。口さがないアルザスではなく遠くで中絶するほうが、秘密を守るうえでは最良の選択だと考えた。

良性の嚢胞《のうほう》ができたと彼には伝えた。その後何ヶ月かにわたり、中絶したことはアンヌ＝カトリーヌと彼の母親だけの秘密だった。ふたりともブライトヴィーザーにはなにも言わなかった。もしかしたら、アンヌ＝カトリーヌが考えたように、逮捕されてかえってよかったのかもしれない。小さな画廊で途轍もない恐怖を味わい、幸運な判決が出て、いよいよもう盗みを終わらせるときが来たのかもしれない。

ブライトヴィーザーは中絶のことは知らされないが、子どもを育てることについてふたりで話し合う。彼は、父親になるつもりは大いにある、と言う。そしてアンヌ＝カトリーヌは、盗品がある限り赤ん坊を生むことは絶対にできないと言う。「赤ん坊にとってよくないもの」と言う。その言葉が彼を苦しめる。それが正しいことだとわかっているからだ。犯罪への関与が疑われないように、すべてを処分して空っぽになった屋根裏部屋のことを思い描く。コレクションのすべてを夜中に警察署の前に捨てることはできるかもしれない。それから盗みをしない新しい人生を始めることもできる。それでふたりは大人になれる。

しかし、いますぐにではない、とブライトヴィーザーはさらに言う。ほかにも彼が目を付けているものがあるからだ。確かに最悪のことが起きたかもしれない。高価な作品を盗んだ現行犯で逮捕されたのだ。しかし、罰は受けずにすんだ！　スイスへの入国禁止など屁でもない。簡単に行ける国はまだたくさんあるのだ。焦って大人になったり、愉しいことをおしまいにしたりしなくてもいい。まだ若いのだ。アンヌ＝カトリーヌは怖じ気づいたかもしれないが、彼は無敵だという気がしてならない。

第23章

彼女は彼を愛している。けれども彼がふさわしい相手ではないので、彼女はひそかに赤ん坊を堕ろしたのだ。彼はひっきりなしに法を犯し、彼女はそれに手を貸している。彼から愛されている。だからふたりはいまもいっしょにいる。愛と一連の犯罪。それがアンヌ＝カトリーヌのジレンマだ。彼と別れるか、留まるか。彼はこの犯罪の終わらせ方を探すつもりはない。それで彼女はこの問題を持ち出す。彼に最後通牒を伝える。

「芸術をとるか、わたしをとるか、選んで」と彼女は言う。

彼にとって世界が美しいのは、アンヌ＝カトリーヌと美術品のコレクションがあるからだ。彼はこの事実を絵画の裏側に記している。いま答えなければならないが、どちらを選んでも幸せの半分を犠牲にしなければならない。それで彼は答えない。

ブライトヴィーザーの沈黙は多くのことを物語っている。スイスの心理療法士《セラピスト》のミシェル・シュミットは、答えるように強《し》いられたとしてもブライトヴィーザーがどちらを選ぶかは明白だ、と調書に書いている。「彼にはコレクションがなにより大事なのだ。恋人や母親よりも」と。

しかし、彼は答えるように強いられはしない。アンヌ＝カトリーヌは、ふたつのうちどちらを彼が選ぶかとっくにわかっていたようだ。彼女は留まりたいと思っている。芸術より自分のほうが大事だと心から信じていたかった。彼が正直に答えるような男だったら、彼女はそもそも訊こうとしなかったはずだ。検討を重ねたうえで彼女は、たとえ盗品でも無生物である美術品は許容できる愛人だ、と思う。ブライトヴィーザーはひっきりなしに新しい美術品を求めているが、自分に対しては相変わらず誠実だと思っている。

愛はどこかで妥協しなければ続かない。アンヌ＝カトリーヌは最後通牒を引っ込め、寛大にも和解を申し出た。これで彼の盗みは減り、もっと注意深くなるだろう。スイスにはもう行かれない。スイス警察はふたりの指紋を採取したので、ヨーロッパ中に手配されたはずだ。それで彼は手術用手袋をはめなければならなくなる。彼女がその手袋を病院から持ってくるようになる。

ブライトヴィーザーはすぐに彼女の条件を受け入れ、逮捕からひと月ほどは美術館にも画廊にも入らない。ところが一九九七年七月下旬の週末、ふたりはパリへ旅行し、ドルーオ＝

モンテーニュ・オークション・ハウスの事前内覧に参加する。人の少ない予備室に入ると、ドイツの名匠ダーフィト・フィンクボーンスが銅板の上に描いた葡萄の収穫の豪華な風景画がある。

彼はパリに持ってきていた手術用手袋をこっそり手にはめる。アンヌ＝カトリーヌは、彼に盗みをさせたくはないが、だからといってこの盗みをやめさせる明確な理由もない。ふたりは展示室が無防備であることを見て取る。もし見張り役を拒めば、今回ばかりは彼が捕まる公算は極めて大きい。そして彼が面倒なことになれば、彼女も同じ目に遭うことになる。彼女は見張り役を続ける。

アンヌ＝カトリーヌを分析したフランスの心理療法士セザール・ルドンドは、彼女が交際を始めた当初から盗みに加わるように圧力を受けていたと感じ、さらにはブライトヴィーザーの威圧的態度がやがて感情的な、そしてもしかしたら身体的な虐待へと変質していったのではないか、と見ている。「このふたりの関係は、支配と服従の関係である」とルドンドは記している。ルドンドによれば、アンヌ＝カトリーヌは自由に選択できず、意に反して盗みにかかわっていたという。彼女は共犯者ではなく、犠牲者だ、と。

ルドンドの分析は正しいかもしれない。アンヌ＝カトリーヌを知る人々は専門家たちに、ブライトヴィーザーとの危険な心理的な結びつきについて重い口を開いている。アンヌ＝カトリーヌ自身は彼から虐待されたかという新聞記者たちの質問に答えようとしていない。この問題についてもそのほかのことについても彼女は秘密を守る態度でいる。ルドンドは、彼女が屋根裏部屋で高価な美術品に囲まれ、あたかも強盗犯罪を祝っているかのように意気揚々と明るく過ごしている姿を映したフィルムを見ていない。フランスの美術犯罪捜査班の捜査官ベルナール・ダルシィはそのフィルムを見て、ブライトヴィーザーのゲームにおけるポーン〔チェスの駒。将棋の歩《ふ》に当たる〕の役割をしていたというアンヌ＝カトリーヌの第一印象が、すっかり覆ったと言う。彼女は苦しんでいるようにも虐《いじ》められているようにも見えない。「輝いていますね」とダルシィは言う。ポーンではなくクイーンのようだ、と。アンヌ＝カトリーヌは意志の強い女性で、安定した仕事に就いている。ブライトヴィーザーと暮らしているのは、彼女が選択した結果としか思えない。

パリのオークション・ハウスで、アンヌ＝カトリーヌは見張り役をしている。ブライトヴィーザーは不思議なほど自信が揺らぐ。ルツェルンで失敗してからひと月ほど盗みから遠ざかっていた。それは彼には永遠にも思える時間だった。手袋をつけた両手は不自由だ。この不安はそのうち盗みのやり方を台無しにすることが彼にはわかる。それで彼は急いで盗みにとりかかり、筋肉が思い通りに動くことを願いながら不安を追いやる。十七世紀の銅板の油絵をつかみ、やり慣れた上手な動きでそれをひっくり返し、それから無頭釘《ブラッド》を、まるでソーダ缶の蓋《ふた》を開けるようにあっさりと外す。そして額縁はその部屋に捨て、ふたりはオークション・ハウスからパリの路地へ入り込む。彼の肩をつかんで止める者はひとりもいない。

一九九七年七月、アンヌ＝カトリーヌの夏休暇が始まるとすぐ、パリ西部にあるロワール渓谷に戻る。彼はその週ずっと法を遵守する市民でいる。旅行の最後の日に美術館を訪れると、銅板に描かれた絵に遭遇する。町の人々と鹿が湿地の森を散策している風景画で、タイトルは『秋の寓話』。サインはないが、ヤン・ブリューゲル（父）の作品だとされている。

そう、ブリューゲル。フランドル美術のもっとも偉大な一族の名。ドイツのクラナハに相当する。彼はブリューゲルをまだ一枚も持っていない。これが屋根裏部屋に来たら大手柄じゃないか。この風景画はおそろしく高いところに掛かっているが、美術館にほかにいるのは受付係と警備員だけで、ふたりは二階下でキスをしている。アンヌ＝カトリーヌは階段のところで見張りの位置に着く。警備員が受付係から目を離したら、咳《せき》をして知らせることになっている。ブライトヴィーザーは椅子の上に乗り、手袋をはめて仕事にとりかかる。椅子から下りて額縁を外すと、アンヌ＝カトリーヌがやってきて椅子の座面をハンカチーフで拭き取り、靴跡を消し去る。ふたりは階段を下りる。彼の上着の下に銅板の絵が隠されている。館から出るとき、仲睦まじい受付係と警備員に別れを告げる。

その数週間後、フランス西部の小さな美術館から、彼は陶器の小像を二点かっさらう。ドイツでは油絵を一枚、ベルギーでも一枚手に入れる。そしてドイツに戻り、一九九八年一月、トランペットを手にする。まるでルツェルンでの悪夢などなかったかのように。

これはアンヌ＝カトリーヌが望んだことではない。彼女が和解したのは彼の盗みをやめさせるためであり、復活させるためではない。ブライトヴィーザーが言うには、いちばん直近の盗みのとき、アンヌ＝カトリーヌは実際に盗みをやめさせようとし、彼にやってはだめと言ったのだが、彼は彼女が我慢するのを見越してやってしまったのだ。ほんのわずかな隙間さえあれば、どんなものでも盗んでみせる、という。どう見ても危険なときは別だが、盗みはなんとしても続けていく。そしてアンヌ＝カトリーヌに向かって、彼女が見張り役を引き受けることを重々承知で、きみは外で待っていてもかまわない、と言う。屋根裏部屋に戻ったあと、彼女は不安になる。あるいは、ブライトヴィーザーはそう解釈している。家に戻れば、彼はなにもかも非の打ちどころがない、と感じているので、盗みを控えることについての話し合いをしない。ふたりはふたりで一組であり、外の世界に対抗するために手を組んでずっと勝ち続けている。彼はそう信じている。

ある日、ブライトヴィーザーは家で、ダイレクトメールや破れた封筒のゴミのなかから、オランダの病院の請求書を見つける。そこに書かれた明細は中絶だ。日付を調べ、記憶をさらう。母親と三人で旅行をしていたときだ。アンヌ＝カトリーヌは身体の不調を訴えていた。彼はふたりを病院の前で車から降ろした。そしてたちまち、明らかになる。アンヌ＝カトリーヌは、彼が自分のすべてを曝《さら》け出せる唯一の相手であり、秘密などなにもなく、信頼しきっている女性なのに、ずっと嘘をついていたのだ。

彼は車に飛び乗ると彼女が働いている病院まで飛ばし、彼女の担当病棟へ向かう。ふたりの子どものことで。対決は悲惨なものだった、とアンヌ＝カトリーヌは後に宣誓の元で供述している。彼は母親と同じく絶えず癇癪《かんしゃく》を起こしていた。そして彼女の顔を見るや怒りのあまり支離滅裂なことを言い、彼女の裏切りに心がずたずたになり、話し合うつもりもない。手を上げ、彼女の顔を思い切りひっぱたく。それから脱兎のごとく出ていく。

彼女は早引けし、バスに乗り、あるいは同僚の車に乗せてもらい、屋根裏部屋に帰っていくだろう、と彼は推測する。彼女が家に着くと、彼の車はそこにない。頭を冷やすために車を走らせているのだ。彼女は階段を上がり、自分の身の回りのものを鞄に詰め込み、それから（彼が思うに）タクシーを呼ぶ、あるいは自分の母親を呼ぶ。彼女はミュルーズの反対側の外れにある両親のアパートメントに移り、ブライトヴィーザーと屋根裏部屋と美術品から、あらゆる作品から、逃げてゆく。

第24章

アンヌ＝カトリーヌは運転免許証を取り、グミのような形をしたラズベリーレッドのフォードのＫａ《カー》を購入し、仕事の行き帰りに使う。両親と暮らして二週間後に、ミュルーズの外れにあるワンルーム・マンションを借りる。一九九八年の春から夏へと季節は進み、ブライトヴィーザーは母親の家から彼女に電話をかけるようになる。彼女はしばらく発信者のＩＤを見て、呼び出しを無視する。それから四ヶ月が経ち、彼女は呼び出しに出る。

四ヶ月のあいだブライトヴィーザーは一度も盗みをしなかった。アンヌ＝カトリーヌが出ていき、広い四柱式ベッドでひとりで眠っていると、気力を失い舵を失い、略奪することへの渇望もすっかり干上がったような気がした。自分を忙しくしておくためにアルバイトを少しやった。プレゼントの箱を包装したり、毛皮のコートを売ったりしたが、ほかの時間は屋根裏部屋に隠れてくよくよしていた、と彼は言う。人生からも芸術からも輝きはすっかり失われた。アンヌ＝カトリーヌの新しい電話番号が登録され、呼び出しに彼女が出るまで毎日電話をかけ続ける。

ブライトヴィーザーは、彼女と美術館のなかや携帯電話で話すときに、どう言葉巧みに説得すればいいかよくわかっている。ずっと夢に取り憑かれていて、自分の短気な性格にきみを従わせてしまっていた。まるで常に新しい玩具をねだる嫌な子どもみたいだった。中絶しなければならなかった理由に納得したので、もう二度とそのことは言わないと誓う。とても愛しているのに、そのことを充分に伝えないまま来てしまった。きみは唯一心を許せる女性だ。ずっときみだけを愛してきた。きみがいなくなって美術品を盗みたいというやむにやまれぬ思いも消えた、と彼は訴える。

アンヌ＝カトリーヌはいまや車を持ち、アパートメントがあり、仕事もある。ブライトヴィーザーがいなくても、彼女の生活は代わり映えのしない状態でもなんとか進んでいく。しかし、彼女をよく知る人々は、刺激に満ちた日々は彼女の麻薬《ドラッグ》なんだ、と言う。ブライトヴィーザーとの生活、文字通り秘密の財宝部屋、週ごとに繰り出していく美術品泥棒。そして彼の狂気じみた情熱、あるいは彼の青い目、そういったものは彼女にはやめられないものなのだ。「もう一度わたしに手を上げたら、それでおしまいだから」と彼女は言う。盗みをやめて、とは言わない。そんなことを言っても無駄だとわかっているが、盗みのときの見張り役をするのはもううんざりだ。アンヌ＝カトリーヌは自分のアパートメント、芸術からの逃避場所を借りたまま、彼の屋根裏部屋に戻っていく。

彼のベッドは温かくなり、絵画は輝きを増す。重い心が軽くなる。生まれ変わったのだ。突然、もっともっとたくさん美術品が欲しくなる。アンヌ＝カトリーヌが仕事に出ているあいだに地元の数少ない美術館を急襲し、ある週には木炭画を手に入れ、次の週には木製の形見箱を盗み出す。

一九九九年後半までに二百五十点もの美術品を盗んでいた。そのなかには教会のものもわずかながらあった。アンヌ＝カトリーヌは教会から盗んだということにひどくうろたえ、ブライトヴィーザーも気持ちのいいものではなかった。彼は信じる宗教を持たないが、母親はカトリック信者で、息子が教会から物を盗んだことを知れば、その罪の重さにとりわけ苦しむだろう。別の場所からの盗みよりはるかに。それで彼は教会を狙うのをやめた。

ところが彼はいま、単独で盗みを働きながら、彼の求めているものがある教会を狙っている。まだ手をつけていない近くの教会には、気に入っている美術品があり、警備はとことんお粗末なので見張り役もいらない。それで近所の教会から木製の翼のある智天使ケルビムを盗《と》り、別の教会からキリストの胸像を、三番目の教会からは木製の浅浮き彫りのマグダラのマリアを盗む。教会で盗むのにはなんの苦労もなく、しかも上質の作品が手に入る。それで彼は次々に奪っていく。燭台、大理石の聖水盤、石細工の天使。

屋根裏部屋にある壁や棚はほとんど隙間がなくなり、ブライトヴィーザーは床にも物を置くようになる。クローゼットにある靴箱は真鍮作品の収納箱になる。カレンダーがめくられて二〇〇〇年になると、新年を迎える夜はいつもそうしているようにふたりは、何もせずに家にいる。三年間に及ぶスイスへの入国禁止が解ける。スイスは給料が高いので、ドイツ語とフランス語が話せるブライトヴィーザーは、人生でもっとも高給の仕事を見つけ、ひと月に四千ドルを稼ぎ出す。家から車で一時間半の距離のところにある高級フランス料理店のウェイターの仕事だ。

金をたくさん稼いでいる彼は、法に適ったやり方でアンヌ＝カトリーヌを満足させようと努力する。大西洋を横断する航空便のチケットを買い、仕事を休んでドミニカ共和国へロマンティックな二週間の冒険の旅に出る。関係を深めるための旅だとブライトヴィーザーは思う。それにドミニカ共和国にいるあいだ一度も盗みを働かない。休暇から戻ると、彼はすぐにまた旅行に出る計画を立てる。

アンヌ＝カトリーヌは彼が働いている場所のことで心配になり、はっきりと彼に警告する。たとえスイスに入れるようになっても、そこで盗んでは絶対にだめ、と。あのときは実に運がよかったが、もう一度逮捕されたら先はない。理屈の上では、ブライトヴィーザーは盗み禁止令に同意している。ところが、レストランに行くために車でスイスを通過するたび、その道沿いにあるあらゆる美術館のことを考えている。

第25章

もちろん、彼の抵抗は無惨に弾け飛ぶ。立て続けに、銀の砂糖壺、杯二点、窓のステンドグラス、蓋《ふた》付きスープ壺、記念のメダルを持ち帰る。スイスで盗みを働いていることはアンヌ＝カトリーヌには黙っている。彼女は、ふたりのスクラップブックに新聞記事の新たな切り抜きが加わらなくなったことに気づいていないようだ。

レストランの休日に、彼はひとりで美術館を訪れ、一度に十点もの美術品を奪ってくる。これは一日に収奪した品数としては最高記録だ。ティーポット一点、給仕用スプーン二点、銀のカップ六点、ナイフやフォークなどのセットが入った木製箱一点を、バックパックやオーバーコート、ズボンのなかに隠す。二〇〇一年二月には、アンヌ＝カトリーヌといっしょに六年前にスキーに行く途中で寄って初めて油絵を盗んだ、スイス・アルプスにあるグリュイエール城にひとりで舞い戻る。十二以上の美術館で略奪を続ける。グリュイエール城からは都合四回の盗みを働いている。そのうちの三回はアンヌ＝カトリーヌといっしょのときで、絵画二点、暖炉の道具一点を盗《と》っている。

グリュイエール城への単独の旅行では、ダッフルバッグを片側の脚に巻いてズボンのなかに隠した。彼の狙いは横三十メートル縦三十メートルの巨大な十七世紀のタペストリーで、アンヌ＝カトリーヌと初めて見たときその場に釘付けになった。彼女はいつも目立たないようにし、こんな大きな作品のせいで刑務所に入るのはごめんだと思っていた。しかし、ブライトヴィーザーは彼女がいなくても作業を続けた。タペストリーという大作を盗むのは自然の成り行きのように思えた。

そのタペストリーには森と山々と村が描かれ、全体がひとつの世界として織られていて、見ていて飽きるということがない。城から出ていくときに受付の前をこっそりとダッフルバッグを持って通過する、というのが彼の計画だ。低い位置で運んでいけば気づかれないはずだ。彼は壁からタペストリーを下ろすが、生地が分厚いのでどうやってもうまく折りたたむことができず、バッグのジッパーが閉まらない。来館者が近づいてきたので、彼はかなり前、別の城で弩《いしゆみ》を盗んだ際に使った作戦を実行に移す。ダッフルバッグを窓の外に落とす。そして城から出ると、泥と牛の肥やしのなかを歩いていき、誇らしげにバッグを回収する。

ある嵐の日、彼は教会泥棒のアイデアのひとつを使ってみる。アンヌ＝カトリーヌを彼女の車で仕事場まで送る。雨が激しく降るなか、彼女を病院の正面入り口で降ろす。こうすれば、従業員の駐車場から歩いていくあいだにびしょ濡れにならずにすむ。彼は仕事が終わるころに迎えにくる、と言う。騎士道精神が発揮されたこの態度には隠された意図がある。アンヌ＝カトリーヌの車のシートは畳めるので、彼の車よりもたくさんの荷物が載せられるのだ。それから、アルザスの村の赤煉瓦の屋根を見渡せる丘の上に建つ聖セバスティアン礼拝堂まで車を走らせる。子どものころから定期的に訪れていた教会だ。

一五二〇年にシナノキに彫られた祭壇のところに、高さ百二十センチほどの聖母マリア像がある。長いローブを着て、首はかすかに天に向けられている。前に来たときにその像が台座にどのように設置されているか、丹念に調べておいた。それで今回、母親の道具箱から台座に合うレンチを持ってきた。管理人が礼拝堂の裏の小屋に住んでいるのはわかっている。教区民は一日中礼拝堂にやってくるが、今日はひどい天候なので、家に閉じこもっているだろう。礼拝堂に近づいていくと、駐車場に停まっているのは管理人の車だけだ。

聖母マリア像を台座から外すのはそう難しいことではない。問題は、百五十ポンド（約六十八キロ）の彫刻を抱えて側廊を進んでいくことだ。彼はマリア像の腰の辺りをつかんでよろよろと二歩進み、それから像を下ろして休む。こっそり運ぶのは無理だ。もし見られたらおしまいだ。彼は賭けに出た。自分がここにいるあいだに人が入ってくることはないだろう、と考える。実際にだれも入ってこない。彼は像を担いで礼拝堂を出て、アンヌ＝カトリーヌの車のハッチバックに入れ、雨のなかを運転して家に戻る。びしょ濡れになり、疲れきっているが、すっかり興奮している。アンヌ＝カトリーヌを病院まで迎えにいく。

マリア像を見ないうちから彼女は激怒する。車に変なにおいが染み付いているからだ。教会のにおいだ。それでブライトヴィーザーは事情を説明する。彼女は一日中仕事をしていたのに、人目に付きやすい明るい色の彼女の車が犯罪に使われていたのだ。しかも彼女の許可なく。大きな像を置く場所など屋根裏部屋にはない。それで彼は部屋の隅に押し込め、ほかの作品で半分ほど覆う。グリュイエール城から家に引っ張ってきたタペストリーは、九平方メートルの壁が必要だが、そんな空きはない。それでふたりのベッドの下に無造作に突っ込まれたままだ。その姿を見ることすらできない。

さらに悪いことに、彼の美術品の扱い方は間違っている。美術品を守ることが第一の目的だと彼は絶えず言っていたのに、グリュイエール城のとても繊細なタペストリーを、窓から放り投げたりベッドの下に押し込んだりしていたのだから。ルネッサンス期の絵画は、少しでも動かしてはならないし、ましてや壁から引っ張り下ろしたり、そそくさと額縁を外したり、激しく揺れながら町の通りを走る車の後部に置いたりしてはいけないのだ。そのくらい、彼にもわかっている。屋根裏部屋では、防犯カメラに背を向けながら盗んだ貴重な薬剤師の油絵の、結合した三枚の板が剝《は》がれてたわんできている。

薬剤師の絵がぼろぼろになったのには打ちのめされた、と彼は言う。専門の道具と的確な作業をおこなう腕のあるプロの修復師なら時間をかけてたわみを直し、板を繋げて新たな作品にすることができる。それはブライトヴィーザーも知っている。この絵をどこかの美術館や画廊にこっそり置いておけば、専門家が修復をしてくれるだろう。だが、彼はそうすることはせずに自分の手で直そうとした。美術修復師なら絶対に勧めないような、学芸員なら「野蛮すぎる」と言うやり方で。板を並べて強力瞬間接着剤で繋げたのだ。この絵はいまも屋根裏部屋にある。

それから、ロワール渓谷の美術館から盗んできたケルビムで彩られた陶器の大皿は床に落ちて粉々になった。これは修復などできるはずもなく、この大皿は投げ棄《す》てられる。ブライトヴィーザーはここにおいて、越えてはならない一線を越え、真の悪党になったようだ。さらに彼は、ノルマンディで盗んだ、鶏の丸焼き《ローストチキン》が描かれた小さな静物画に躓《つまず》いてひどく破損させ、この作品もゴミとして捨てられる。

アンヌ＝カトリーヌは彼の美に対するまっすぐで清らかな思いに敬意を抱いていたが、ここに至って彼の盗み方が「汚くて、気違いじみた」ものになった、と後に捜査官に語っている。ひとつひとつの作品を栄誉ある客として扱うという、作品への憧憬などかなぐり捨てて、死蔵品を溜め込むばかりになった。彼女は、彼が家に持ち込んだ大半の作品を好きになれず、なかには醜いものもある、と言っている。

しかし、彼が野蛮な盗みを働き、彼女の車を使っているにもかかわらず、彼女は彼を捨てて自分のアパートメントに帰ろうとしない。彼女は留まっている。二〇〇一年にはふたりともが三十になる。アンヌ＝カトリーヌは七月五日に、彼は十月一日に。彼がこれみよがしに盗品を見せようとしない限り、彼女が新しい作品を気に留めることはない。屋根裏部屋はルーヴル美術館の別棟というより、世界でもっとも高価な廃品置き場だ。次から次へと廃品が持ち込まれ、終わるということがない。

第26章

彼は傷ひとつない四百年前の軍隊ラッパを部屋に持ち込む。きらめく真鍮のパイプと華麗な革の肩紐《かたひも》がついている。アンヌ＝カトリーヌが仕事から戻ると、彼は新しい宝をひけらかさずにはいられなくなり、手際のよい盗み方を披露する。

このラッパは美術館の天井に近いところにある密閉された展示ケースのなかに入っていた。彼はラジエターの上に乗り、スイス・アーミー・ナイフを持った手を伸ばして、正面パネルのネジを緩《ゆる》めた。その途中で何度か手を休め、赤い絨毯の上に飛び降りた。この音が、美術館の唯一の従業員で一階下にいる受付係の耳に届いたかもしれないが、訝《いぶか》しく思わなかったようだ。

展示ケースを開けると正面パネルを外して隣接する部屋に置き、またラジエターの上によじ登り、垂れ下がって邪魔をしている照明を押しやり、ラッパを固定しているナイロンのコードを素早く切った。そのときにはもう照明の揺れは収まっていたので、彼はラッパをヒューゴ・ボスの濃緑色のトレンチコートの内側に隠し、外へ向かった。

アンヌ＝カトリーヌはその話を聞いて不快に思う。すでにこれより上質のラッパがこの部屋にあるのだ。三重巻きのそのラッパはドイツでふたりで盗んだものだ。しかも、彼の話には重要な部分が抜けていた。

「手袋はしていたの？」と彼女が訊く。

「いや、実はしてなかった、ごめん」と彼は答える。盗みを働くには敏捷さが求められる。手袋は彼女が課した厳しい規則のひとつだ。彼女はこのとき、彼がほかの規則も破ったことを知る。このラッパを盗んだリヒャルト・ワーグナー記念館はスイスにある。この事態はこれ以上悪くなりようがないと思うかもしれないが、さらに悪くなるのだ。ワーグナー記念館はルツェルンにある。まさにふたりが逮捕された町にあるのだ。

彼女の目に現れた怒りは、これまでに目にしたことのない激しいものだ、とブライトヴィーザーは述べている。彼の指紋がルツェルンの別の盗みの現場にちりばめられているのだ、ふたりが刑務所に入る日も近いだろう、と彼女は息巻いて言う。その怒りに恐れをなしたブライトヴィーザーは、事態を必ず収めると約束する。記念館まで戻って指紋を消してくる、と。

だめよ、危険すぎる、とアンヌ＝カトリーヌが言う。その代わり、明日の朝、彼女が仕事を休んで記念館に行き、指紋を全部拭き取ってくることにする。ブライトヴィーザーは、じゃあ、ぼくが運転する、と言い、彼女は不安に思いながらも同意する。

ふたりはアンヌ＝カトリーヌの車を使う。車内の雰囲気は重く冷たい。めったに言葉のやりとりはない。しかしワーグナーが一八六〇年代と七〇年代に実際に暮らしていたリヒャルト・ワーグナー記念館への道は、これ以上ないほど美しい自然に囲まれ、彼の気持ちは軽くなる。ワーグナー記念館は、氷河に覆われた山に囲まれたルツェルン湖の端にある、絶景ともいえる市立公園の岬の上に建っている。アンヌ＝カトリーヌが車のドアを開け、ハンカチーフと消毒用アルコールの瓶をバッグから取りだすと、彼は一瞬、ふたりはまた愛し合えるようになるかもしれないと思う。

「車のなかにいて」と彼女はブライトヴィーザーに言う。「すぐに戻るから」

「ちょっとその辺を散歩してるよ」と彼は言う。「心配するな」。そして彼も車から出て、濃緑色のトレンチコートを着て、彼女に車のキーを渡す。彼女はキーをバッグのなかに入れる。彼は身を寄せて彼女にキスをする。これが雪解けになることを願いながら。

彼女は記念館のなかに入り、入場券を買い、二階へ向かう。ブライトヴィーザーは建物のまわりをゆっくり歩いていく。漆喰の壁と森に似た色の鎧戸のついた三階建ての建物だ。彼女が進んでいく姿が窓の向こうに見える。灰色のスーツを身に着けたエレガントな姿が、さらに次の窓へと移動する。

ようやく奥の展示室に入り、彼女の姿は見えなくなる。彼は待っている。あたりに人影がいくつかある。犬を連れて歩いている年配の男性が興味深そうにブライトヴィーザーを見て、急いで立ち去る。湖に白鳥が点在している。波がリズミカルに湖岸に当たる。教会の鐘が短く鳴り、十五分過ぎたことを知らせる。

アンヌ＝カトリーヌが記念館の出入り口から現れて彼のほうへ来る。ジョギングしているような速度で。むしろ異様だ。今回は盗むことを考えずにやってきた非常に稀な訪問なのだが、まるで逃げているかのように見える。何かを告げようとして急いでいるようだ。しかしかなり遠いのでなにを言っているかわからない。彼女の不安げな表情と落ち着きなく動く手からブライトヴィーザーが何らかの意思を読み取ろうとしたとき、パトカーが彼の背後の砂利道で停まる。

制服を着たふたりの警官がパトカーから出てくる。ブライトヴィーザーはすぐに、この警官は自分を捕まえにきたわけではないと思う。コートの下になんの盗品も隠し持っていない。記念館のなかに入ってすらいない。しかし警官は急いで近づいてきて、ひとりが手錠を取り出す。ブライトヴィーザーはびっくりし、抵抗できない。手錠を掛けられているとき、もう一度アンヌ＝カトリーヌを見て、目を合わせようとする。彼女は半狂乱になっていて、慌てふためいている。しかし幸運なことに、警官は彼女の存在に気づかず、彼をパトカーの後部座席に押し込んでその場を後にする。

第27章

ブライトヴィーザーは、四年前にスイスで絵画を盗んだ罪で捕らえられたときと同じ警察署の地下監房で、苦しみに満ちた一夜を過ごす。明けて二〇〇一年十一月二十一日水曜日。警部が彼の独房にやってきて丁寧に自己紹介する。

ロラン・マイヤーはブライトヴィーザーとほとんど同い年で、ふたりとも三十代になったばかりだ。ほっそりした体型で澄んだ青い目をしている。ドイツ語で話すが、ふたりともに地元アルザスの訛りがある。同じ土地出身の同胞といえる。独房に行く前、マイヤー警部はブライトヴィーザーがルツェルンで最初に逮捕されたときの報告書をつぶさに読んでいた。それでわかったのは、相手がこそ泥だということだ。二回の逮捕から、この地区の警備の手薄な美術館や画廊から盗んで、すぐに売っぱらえるものを狙っている、盗みの才能のない小悪党だ、ということがわかる。

警部はブライトヴィーザーを手錠を掛けずに地下の独房からエレベーター・ホールまで護送する。エレベーターに乗って警察署の上階の現代的な建物の内部へ連れていき、正方形の取調室へ入れる。ふたりは、何も置かれていない白い机を挟んで座る。部屋の四方の白い壁にはなにもなく、弁護士やほかの者もいない。

「軍隊ラッパが消えたことについてなにかご存じありませんか」とマイヤーが訊く。

「なにかの間違いではありませんか。私はなにもしていませんが」とブライトヴィーザーが言う。

警部は急がない。仕事から離れれば、彼は登山家でありマラソンランナーだ。このふたつは、仕事においても、気に入っているロングゲーム〔トランプゲームで、持ち札全部を配って長時間かけておこなう〕という遊びにおいても役に立つ。マイヤーは辛抱強くブライトヴィーザーの陥っている状況を明らかにしていく。

軍隊ラッパを盗んだ日、いつもと違ってワーグナー記念館には人の出入りがなかった。その日はたった三人しか入館していない。そのひとりエステル・ヤーグはここの従業員で、観光客がいないときに展示室を歩きまわるのが習慣になっている。いつものように歩いていると、長い緑色のコートを着た来館者が出ていったあとで、軍隊ラッパが盗まれているのに気づいた。その楽器は非常に高価な、歴史的に重要なもので、ワーグナーが自ら手に入れたものだった。

ヤーグが警察に連絡するとふたりの警官がすぐに到着し、指紋と靴跡とＤＮＡを探した。

翌日の地元の新聞「ルツェルナー・ツァイトン」にこの犯罪の記事が出た。退職した元ラジオ記者は、毎日犬を連れて記念館の近くを散歩していた。その日新聞を読んでから犬を連れて歩いていると、建物のまわりを不審な態度で窓の方を眺めながら歩いている男を目撃した。彼は急いで記念館の従業員に警戒するように言った。ヤーグが再び館内を歩いていると、同じ緑色のコートを着た人物が外にいるのを目にした。彼女は再度警察に連絡し、そのコートを着た男は逮捕された。

これを聞いたブライトヴィーザーは、落胆を隠せない。アンヌ＝カトリーヌに命じられてワーグナー記念館へ引き返すことにしたのだが、この旅は危険極まりなく浅はかな行為であっただけでなく、まったく無駄なものだった。アンヌ＝カトリーヌがハンカチーフを持って指紋を拭き取る前に、すべての証拠は警察の元に集まっていたのだ。

警部はブライトヴィーザーが傷ついたのを見て取ると、さらに苦しめる。「きみの指紋はいたるところにありましたよ」とマイヤーは言う。法廷に提出する証拠は決定的なものだ、と警部は告げる。もう言い逃れはできませんよ、と。

ブライトヴィーザーは黙ったままだ。「あなたが犯人だということはわかっています」とマイヤーはさらに言う。

実は警部は、ブライトヴィーザーが犯人だとはわかっていない。ルツェルン犯罪研究所が照合できた指紋はひとつもなかった。警部ははったりをかけている。自白が要るのだ。彼はブライトヴィーザーに、最初の逮捕のときに採取した指紋と今度の指紋が完璧に一致した、と嘘の情報を述べる。

「さらに」とマイヤーはとどめを刺そうとして付け足す。「あのラッパが盗まれた夜にあなたの姿がルツェルンで目撃されているんですよ」。ビデオに記録されていると彼は言う。

策を弄《ろう》したことで警部は手の内を見せてしまう。ブライトヴィーザーは、その日まっすぐに家に帰っていた。途中どこにも、ガソリンスタンドにも停まらずに。警部はルツェルンのことで嘘をついている、とブライトヴィーザーは察する。ということは、指紋の一致も嘘かもしれない。

ブライトヴィーザーは無実だとしつこく言い続ける。すると驚いたことに、マイヤーは彼の無実を落ち着いて受け入れる。警部のところにはなんの証拠もないのだ、とブライトヴィーザーは思う。もし証拠が揃っていたら、はるかに強く有罪だと述べ立てるだろう。能力が低いくせに自信過剰。これがブライトヴィーザーが抱くたいていの警部の姿だ。こちらがうまく立ち回れたら、ラッパ泥棒からは逃げおおせる、と彼は判断する。

ワーグナー記念館で逮捕されたときにブライトヴィーザーがひとりだった、と警部が思い込んでいるのは明らかだ。もし共犯者がいることを警察が知らないままでいたら、彼女の身は安全だ。この有利な状況をうまく利用できれば、アンヌ＝カトリーヌに電話をし、ラッパをこっそり記念館に戻してくれと頼める。もしラッパを記念館の近くの草むらに隠し、それをだれかが見つけてくれれば、自身のアリバイを証明するのに充分だ。警察は釈放するしかない。そうすれば、警察が屋根裏部屋に入ってきて宝の山を発見するという、長年恐れてきた最悪の事態から逃れられる。

マイヤーの半時間に及ぶ取り調べのあと、ブライトヴィーザーは再び地下の独房に連れ戻される。そこで彼は、警備を厳重にすべき収容者として自分が分類され、個人的な電話をかけることなど不可能であることを知る。

マイヤーの最初の勘、つまりブライトヴィーザーは小物の泥棒だという直感は揺るがない。しかし簡単な取り調べのあいだ、ブライトヴィーザーはマイヤーの予想よりはるかに頭が切れて冷静だった。動揺させられても口を割らず、こちらの苦しまぎれのはったりをうまく切り抜けたことにマイヤーは感銘を受けた。いや、疑惑が増した、というべきか。マイヤーはいま改めて、一回目の窃盗と四年ぶりに犯した二回目の窃盗に興味を抱く。盗んだのはこのふたつだけではないのではないか。あるいはこれが始まりなのか。

マイヤーは判事と話し合いを持つ。ブライトヴィーザーは連続美術犯罪の犯人であることが考えられるので、厳重な警備下での勾留延長の許可を得る。さらに彼は判事から、国際捜査令状を取得する権限を得る。それがあれば捜査官たちはスイスからフランスへ旅をして、彼の家のなかを徹底的に調べることができる。

第28章

日々は静かに過ぎていき、一週間になる。国際捜査令状を確保することがなかなかできない。マイヤーは承諾されるのを待ち、ブライトヴィーザーは独房のなかで次第に元気をなくしていく。唯一電話をかけられる先はフランス大使館だ。唯一面会できる人物は弁護士だ。大使館は手を出せず、公選弁護人はまだ決まらない。彼の犯罪容疑が決まっていない。

　ブライトヴィーザーは捜査令状が出ていないことを知らされていないので、この先になにが待ち受けているのか、いつまでここにいるのかもわからない。彼は独房に入れられているようなものだが、ほかの収監者の姿は見える。現代絵画の醜悪な作品からでも、いまなら慰めを見出せるかもしれないが、独房の壁にはなにもない。たったひとりで、陰鬱な考えにとらわれている。

マイヤーがようやくやってきて、独房の扉の鍵を開け、入り口に立つ。「ブライトヴィーザーさん、いろいろ考えるチャンスがあったのではありませんか」と警部は取調室に彼を呼び入れて自白するように言う。ブライトヴィーザーにはまだ「いいえ」と答えるだけの強さは残っている。

「いいえ、ですか？」警部が探りを入れる。そして鍵を掛ける。

ブライトヴィーザーは手紙のやりとりを許されるが、その内容には裁判所の職員がすべて目を通す。「世間からも人からも隔離されている感じです」と彼はアンヌ＝カトリーヌに書く。「世の中に見棄てられたような気持ちがします。絶えず苦しくて、後悔してばかり、泣いてばかりいます」。彼は便箋の最後にふたつのハートを描く。

さらに十日が経過する。一通の手紙も届かない。アンヌ＝カトリーヌはどこにいる？　彼はこう考えている。彼女はワーグナー記念館で彼の指紋を拭き取っているとき、犬の散歩者と記念館の職員が不審な男が外にいると話しているのを耳に挟んだ。彼女にはドイツ語がわかるので、急いで外に出て彼に警告しようとしたに違いない。ところが遅すぎた。それで彼女はその後、どうしたのだろう。彼女が母親になにか言って、それで母親も手紙を書かないでいるのだろうか。

ルツェルンで最初に逮捕されたとき、母親は翌日には助けにきてくれた。今度はふたりの女性が沈黙したままなのが責め苦のようだ。警察に協力しない時間が長くなれば、刑務所で過ごす年数がどんどん長くなっていくのだ、と彼は考えるようになる。マイヤーがまたやってきて、なにか話す気になりましたか、と訊くと、ブライトヴィーザーは「ええ」と答える。取調室での彼の自白は録音されている。マイヤーが口火を切る。「警察に信頼できる説明をする心の準備ができましたか」

「はい」とブライトヴィーザーは答える。

「どうしてリヒャルト・ワーグナー記念館を訪れたのですか」

「クラシック音楽に興味があるんです」とブライトヴィーザーは嘘をつく。フランスから電車でひとりでやってきた、と説明する。警部がこのことを問題視しないのは、彼の車が駐車場にないからだ。逮捕されたときに電車の切符を持っていなかったのはどうしてか、とマイヤーに訊かれ、投げ捨ててしまいましたと答える。

「ラッパをどうするつもりでした?」

「母親へのクリスマス・プレゼントにしようと考えていました。きらきらしていたので」もし、あの品物が貴重なものだとわかっていたら、盗んだりしなかったでしょう、と彼は言う。「あのラッパを売りたかったわけではないんです。本当に申し訳なかったと思っています」。

マイヤーとブライトヴィーザーは盗みの手順を繰り返し再現する。展示ケースからラッパを取り外したやり方、コートの下に隠して記念館から出ていったやり方を。この部分ではブライトヴィーザーは正直に話す。建物のレイアウトまで詳細にスケッチする。

「武器は持っていましたか」

「いいえ」

「協力者はいましたか」

「いいえ、ひとりでした」と彼は答える。盗みを働くつもりはなかったんです。「急にそんな衝動に駆られてしまって」

「ほかでも盗みをしているのではありませんか」

「盗んだのはあの楽器だけです。本当です。最後に盗もうとしたのは、四年前、ルツェルンの画廊ででした」

「そのラッパはいまどこにありますか」

「段ボールに入れて、母の家のガレージのタイヤのそばに隠してあります。母はそこにあることを知りません」本当はそのラッパは油絵の額縁の角に革紐《かわひも》を掛けて吊り下げられているが、彼は屋根裏部屋の存在についてマイヤーには一切喋らないと心に決めている。

「どうして博物館に戻ってきたのですか」

盗んだあと、どんどん平静ではいられなくなって、クリスマスに母親にラッパをあげるなどもう無理だ、と思ったからだ、と彼は説明する。それで戻したくなった。電車で記念館まで戻り、指紋を消してラッパのよい隠し場所を探そうとした。そのときに逮捕されたのだ。計画では、次の来訪のときにラッパを持ってきて、ラッパを発見したと名前も告げずに記念館側に伝えて帰るつもりだった、と。

この作り話なら、恋人と母親が罰せられることはないし、警官を屋根裏部屋に寄せつけず、自分の刑期を短くすることができるはずだ、とブライトヴィーザーは考える。ラッパを盗んだことを認めて、アンヌ＝カトリーヌと母親に手紙を書く許可をもらい、ふたりにラッパをルツェルンへ持ってきてほしいと頼める。ラッパの返却については秘密にしなくてもいいのだ。彼の手紙を読んだらどちらかがその言葉に従ってくれるだろう、と彼は思う。無傷の状態のラッパを記念館に渡せば、警察の取り調べは終わりになるはずだ。二度目の犯罪でも、刑期は懲役一ヶ月くらいですむだろう。スイスは刑期に厳しくないという評判だ。クリスマスまでにはきっと家に帰れる。

マイヤーにとってこの話――泥棒は心境の変化で急に弱くなり、犯罪を帳消しにしたがっている――は、冗談にもほどがある内容だ。ブライトヴィーザーのこのお伽噺《とぎばなし》のなかに多少は本当のことが入っているにしても、それを拾い上げるのは、警部がわざわざやることではない。マイヤーはそれ以上の質問はせずに話し合いを終え、彼を独房へ連れていく。もしブライトヴィーザーから真実が取り出せないなら、ほかのところを調べるしかない。

さらに六日が経つ。ブライトヴィーザーはアンヌ＝カトリーヌにも母親にも、ルツェルンにラッパを戻してくれという内容の手紙を出しているが、どちらからもなしのつぶてだ。この面倒な事態から抜け出せなくなって自信をすっかり喪失している。どつぼにはまったような心境だ。気分がどんどん沈んでいく。

国際捜査令状が承認され、ブライトヴィーザーはさらに二十三日間の勾留延期となる。二〇〇一年十二月十二日、マイヤーはもうひとりのスイス人警部とともに国境を越え、フランス警察の捜査官ふたりと合流する。四人の警察官がミュルーズの郊外まで車を飛ばしていくと、トウモロコシ畑のなかに住宅地が現れる。そして薄白い色に塗られた、14‐C番地の質素な家の前に到着する。裏には物干しの綱が張られている。水曜日の夕方五時半。四人は玄関の戸をノックする。

ミレーユ・ステンゲルが出てくる。ブロンドの髪に灰色の筋がいくつか入っている。「ここを探しても無駄ですよ」と彼女は、警官の身分証を見てから言う。みなさんがなんのことを話しているのかわかりません、と言う。「息子はこの家に品物を持ち込んだことはありません」

しかしステンゲルはほかにどうしようもなく、脇に身をずらして四人の警官を家のなかに迎え入れる。間もなく四人は狭い階段を上がって屋根裏部屋に行く。ドアには鍵が掛かっていない。それを開ける。

室内にラッパは見当たらない。ほかの楽器類もない。銀器も、アンティークの武器も、象牙の品も陶製品も金細工も。ルネッサンス期の絵画もない。絵を掛けるフックもたいしてない。すっきりしている。素敵な四柱式ベッドを囲んでいる壁にはなにも掛かっていない。

第29章

マイヤーは取調室の机の引き出しを開け、なかから写真を一枚取り出してブライトヴィーザーの前に置く。そこには十七世紀の金めっきのメダルが写っている。前菜用の皿のように大きくて丸い。ラッパを盗む二週間前にスイスで奪ったものだ。かつて幸運をもたらすという金色のメダルが、いまやすっかり色あせて擦られたような傷がついている。このメダルになにがあったというのだろう、とブライトヴィーザーは思う。

「あなたはこれも盗みましたね」とマイヤーが言う。とはいえ、やっぱり警察は証拠をつかめていない。ブライトヴィーザーの家の捜索はさんざんな結果に終わったが、マイヤー警部は彼が嘘をついていると考えていて、ブライトヴィーザーが果たして大泥棒かどうかを確かめる手段を用意している。「話してしまえば、なにもかも元に戻りますよ。ご自宅へ帰れます」

とマイヤーは言う。

ブライトヴィーザーが求めているのはそれだ。家に帰ることだ。そしてマイヤーはそれを熟知している。面会人もなく、季節の挨拶を交わすカードもないままクリスマスがやってきて去っていく。二〇〇二年の新年最初の日も過ぎた。ブライトヴィーザーは相変わらず厳重な警備のなかで閉じ込められている。母親からも恋人からも連絡がなく、警察が自宅を捜査したのかどうかさえわからない。自分のコレクションが屋根裏部屋から消えたことも、衣類も本もなくなってしまったことも知らない。いままで彼が認めたのはたったひとつ。ラッパを盗んだことだ。しかし勾留されて二ヶ月が経ち、まるで生き埋めにされているような思いをしているので、マイヤーが藁《わら》を差し出せば彼はすぐさまそれをつかむ。

「はい、私がやりました」とブライトヴィーザーは大きなメダルを盗んだことを認める。

マイヤーはもう一度引き出しを開ける。実はもうひとつあるんですよ、と謝るような口調でマイヤーが言う。もう一枚、別の写真を机の上に出す。金の煙草容《たばこい》れだ。スイスの城からアンヌ＝カトリーヌといっしょに盗んだ品だ。ふたりで盗んだ六個ほどの煙草容れはアンヌ＝カトリーヌのお気に入りだった。写真の煙草容れは心なしか汚れている。マイヤーは最後に、自白をするように言う。盗《と》った、という簡単な言葉でいい。それで悪夢は終わるのだ。

ブライトヴィーザーは、この煙草容れも自分が盗んだ、と白状する。

またもやマイヤーは引き出しを開ける。今度は両手をなかに入れるとたくさんの写真を掬いあげ、それから机の上にまき散らす。デンマークの象牙のフルートの写真がある。ドイツで盗んだブロンズの小立像の写真。ベルギーの銀のゴブレット。八年前にアンヌ＝カトリーヌといっしょに初めて盗んだ、フランスの火打ち石式《フリントロック》の拳銃も。

ブライトヴィーザーは普段なら抜け目なくこの状況を読めるはずだが、牢に閉じ込められて気持ちがすっかり挫《くじ》かれ、この勝負に負けたことを悟った。人生で初めて、打つ手が残っていない。チェックメイトだ。彼は、写真を一枚一枚確認しながら、ここにある作品はすべて自分が盗んだものだと認めた。写真の山を見終わったとき、盗品が百七点あったことを知った。

マイヤーはいま教えられた事件がどれほどの広範囲にわたっておこなわれたものか見当もつかず、少しも満足などできないでいる。これは彼のスタイルではない。マイヤーはそこに座り、いささか茫然としている。取調室の机の上には、トランプのカードさながらに写真がばらまかれているが、そのなかに偶然にも、すべての写真が収められていたフォルダーが開かれたままになっている。そこにタイプされた警察の報告書がある。ブライトヴィーザーはその文書をざっと見る。敗北した今になってようやく、多くの美術品が色あせているように見えた理由を知る。

報告書によれば、彼がワーグナー記念館で逮捕された一週間後、ジャック・ランスという老人が日暮れごろに、アルザス東部のローヌ-ライン運河に沿って散策していた。ランスは濁った水のなかにきらきら光るものがあるのを見つけた。がらくただろうと思ったが、翌日、興味をそそられた彼は伸縮性の取っ手のついた熊手を持って戻ってきた。

運河のこのあたりは、ナポレオンがフランスの川と繋げるように命じた運河の一部で、両岸に植えられたアカシアの木々のせいで暗がりになっている。並行して走る道路からも見えない。ランスが引っ張りあげたのは杯だった。銀で出来ているようで、一六一九年と銘記されていた。もう一度引き上げると銀のゴブレットが出てきた。同じように非常に貴重なものだ。三つ目の品、四つ目の品が現れた。女性の肖像が彫られた狩猟用ナイフも引き上げた。ランスはこの大発見を地元の警察に報告した。

ふたりの警官が運河に到着し、次に大勢の警官がやってきた。そしてストラスブールの河川部隊のダイバーたちが来た。三十人が一斉に網で掬いあげ、金属探知機で浅瀬を探した。ダイバーたちは運河中央の濁った水の水深三メートルのあたりを探した。それから八百メートルにわたって水が抜かれた。三日にわたり、次から次へと作品が引き上げられて川岸に積み上げられた。

大皿、深皿、タンブラー、マグ、みごとな戦艦――途轍もない銀製の作品――などが、中世の武器、騎士の兜《かぶと》、ガレの花瓶二点、金の懐中時計六点、砂時計、置き時計、真珠や木製や陶製の作品などのなかに混じっていた。油絵も一点見つかった。銅版に描かれていたために水の被害はさほど受けなかった。名工によるアダムとイヴの象牙の彫刻もあった。

運河から出てきた合計百七点の美術品は、地元の警察署の空いている独房に運ばれた。ストラスブールのアンティークのディーラーで目利きとして知られているジャック・バスティアンは、この窃盗品の総額について意見を求められた。バスティアンは到着して品物を鑑定すると、畏怖の念を抱いた。これを所有していたのがだれであれ、その人物は「本物の鑑定家」だ、と述べた。作品は専門家による掃除が必要なほど汚れていたが、それ以外では良好な状態で、修復可能だった。それほど長いあいだ水に浸かっていなかったからだ。バスティアンは盗品の総額を五千万ドルと弾き出した。警察がこの美術品を武装した護衛隊に守らせながら移送した先は、コルマールという近くの町にある美術館の安全な保管所だった。そこで一点一点が復元されるために詳しく調べられ、写真を撮られた。

運河の財宝は地元では大きなニュースとなり、フランス美術犯罪捜査班（ＯＣＢＣ）が駆けつけ、すべての美術品が盗品であることが判明した。ＯＣＢＣが追い続けてきた連続窃盗事件の犯人、美術の鑑定眼のある巧妙な泥棒カップルの証拠が揃ったのだ。それに加え、十組以上のギャングの容疑が晴れるような盗品まで含まれていた。たったふたりでこれほどの盗みをやり遂げられるものなのか。たとえそれができたとして、どうしてそんな品々を運河に投げ捨てたというのだろう。ＯＣＢＣは途方に暮れた。捜査班は、だれがその犯人なのか、その手がかりすらつかんでいなかった。

スイスではマイヤーが運河の美術品に興味を抱いた。実を結ばなかったミュルーズ郊外の家の捜索のあとで、彼は運河の写真のコピーを送るよう要請した。写真が送られてくると、ブライトヴィーザーを取調室に呼び出し、巧みに自白にまでもっていった。その数日後の二〇〇二年二月七日、ルツェルンに勾留されてから七十九日後のことだが、ブライトヴィーザーは逮捕されたときに身に着けていた服を手渡され、囚人服から着替えるように言われた。そして地下の独房から連れ出され、電車の囚人用車両に乗せられた。

その車両にはほかに十人の収監者もいる。それぞれが小さな檻のなかに入れられ、通路には看守たちがいた。ヒューゴ・ボスのコートを着ているのはブライトヴィーザーだけだ。これまで彼はいつもほかの犯罪者たちより自分のほうが優れていると思っていたが、すっかり気持ちが塞ぎ、やつれ果てたいまは、犯罪者たちが当然のごとく身に着けている強靱さと無関心さが羨《うらや》ましかった。自分がどこに向かっているのかわからず、だれもなにも教えてくれないが、どこに行くにせよ、事態はこれよりはるかに悪くなるだけだという、涙がこぼれるほどの不安な思いにがんじがらめになっていた。

第30章

列車は何時間も騒がしい音をたてながらスイス山脈と丘陵地帯を通り抜けて南西に向かっていく。ブライトヴィーザーはジュネーブの少し前で降ろされた。別の監獄に入れられる。ルツェルンの独房より古くて汚い。翌日その監獄の取調室へ連れていかれると、そこで初めて彼は、美術犯罪専門の捜査官で六年間彼を追い続けてきたアレクサンドル・フォン・デア・ミュールと顔を合わす。ふたりは向かい合わせに座る。そのほかには速記者しかいない。

フォン・デア・ミュールは胸板も腹部も分厚く、頭髪はほとんどない。警察の制服ではなくボタンダウンのシャツとブレザーを身に着けているが生地は伸びきり、態度は威圧的だ。この捜査官は、細部にわたるインタビューに応じてくれ、ブライトヴィーザーとの対話についてすべて詳しく語ってくれた。彼は財布のなかから美術品が写っている五枚の写真を取り出す。それをブライトヴィーザーの前に置く。

「これはぼくじゃない！」とブライトヴィーザーは叫んで、椅子を後ろにずらす。

「落ち着きなさいよ」と捜査官が言う。

ブライトヴィーザーは弁護士の立ち会いを要求しなかったので、フォン・デア・ミュールはこの調子でしばらく進めたいと思う。それで彼は自分の力量を隠して、彼への同情を前面に押し出す。ここでは腕力などいらない。おだてるのが肝要だ。「これは私の家にあるものでしてね」

ブライトヴィーザーは冷静になる。写真にある二点は、油絵と大理石の小立像で、一世紀前のものでもブライトヴィーザーの好みには新しすぎるので、盗もうと思うことすら躊躇《ためら》うものだ。

「私もコレクターなんですよ」とフォン・デア・ミュールは言う。彼はブライトヴィーザーに、運河で美術品が見つかってから、この事件に美術犯罪専門の捜査官が必要だということになった、と説明する。それでブライトヴィーザーはフォン・デア・ミュールの事務所のあるヴヴェーの町の警察署へ列車で護送されてきたのだ。「おたくが普通の平凡な泥棒とはわけが違うってことはわかってますよ」と捜査官が言う。「おたくも蒐集家だ。喜ばしいことですな」。捜査官はブライトヴィーザーに、あんたの数々の盗みは金のためではなく情熱のなせる業に思える、と言う。

この逞《たくま》しい捜査官は、ブライトヴィーザーが会った警官のなかで、こんな奴とは口も利きたくないと思わなかった初めての相手だ。ふたりはフランス語で話し合うが、すぐにくだけた会話体に替え、相手をファーストネームで呼び合う間柄になる。ドイツ語で話したマイヤーとはなしえなかった関係だ。

フォン・デア・ミュールは、自分からすべてを話したほうが裁判で好い印象を持たれるし、刑期もかなり軽くなる、と言う。そして運河の写真から始め、それを一枚一枚地理的な場所に分け、スイスで盗んだ美術品から説明を求め、そこから螺旋状に広げていき、とうとうヨーロッパの七ヶ国を網羅する。フォン・デア・ミュールはそれぞれの場所での盗みの詳細を思い出すようにブライトヴィーザーを促し、ブライトヴィーザーは褒めそやされて、前の自白に付け足すような詳細な部分を述べる。ときには、あらゆるネジの回し具合まで説明しそうになる。

ふたりの面談は一日六時間以上、週五日にわたり、ひと月近く続く。フォン・デア・ミュールはときどき話し合いながらパイプをくゆらし、ブライトヴィーザーを独房に戻すときに美術の本やオークションのカタログを手渡す。ある午後、自分の車にブライトヴィーザーを乗せてドライブに出かける。フォン・デア・ミュールはすべての時間をこの事件に捧げ、過剰に威嚇的になったり批判的になったりしないように努める。「許すことはできませんが、理解することはできますよ」というのが、彼の好きな台詞だ。スイスの警察はいまのところ、メディアにこの事件の情報が漏れることを食い止めてはいる。メディアに漏れると、捜査に大きな支障をもたらす場合が多い。

運河の品々の来歴がわかってから、フォン・デア・ミュールはほかの美術館の盗難事件についても説明する。スイスやそれ以外の国で盗まれたものがある。たいていルネッサンス後期かバロック初期に作られた銀か象牙の作品で、日中に盗まれたものだ。数少ないが目撃者がいて、身なりのいい若い男女を見たという報告があがっている。それらの美術品は運河から何ひとつ発見されていない。

ブライトヴィーザーは、フォン・デア・ミュールが警官であることを忘れはしないが、この捜査官は自分のいまの苦境に同情してくれているので、警察組織のなかで見出しうる最高の味方だと思う。ほかの盗みを認めるようにフォン・デア・ミュールは忠告した。もし協力を拒めば、警察はその事件を解決するために捜査を広げなければならず、協力をしなかった事実が後々の裁判で不利に働くだろう、とブライトヴィーザーは説得される。

それでさらに何十件もの盗みを自白するが、そのどれもフォン・デア・ミュールから促されて口を割ったのだ。ブライトヴィーザーは次第に、正直に話すようになる。ただし、アンヌ＝カトリーヌのことには一切触れない。彼は繰り返し、彼女が何も知らない傍観者であり、彼が犯行に及んでいるときにはトイレに入ったり、別の展示室にいたりして、彼がなにをしているのかまったく知らなかった、と述べている。極力彼女に罪が及ばないような発言をしている。独房で、彼はノートを付けていて、自分がアンヌ＝カトリーヌについて何を話したかを暗号で記していた。それぞれの美術館やオークション・ハウスで彼女のいた場所を記録していたのだ。こうしておけば、この先の取り調べや裁判のときに矛盾したことを言わずにすむ。母親は彼の犯罪についてまったく知らない、と彼はしきりに言う。「ぼくがひとりでやったことです」とブライトヴィーザーは何度か主張し、すべて自分のせいにする。

フォン・デア・ミュールは防犯ビデオを見、証人の発言を読み、アンヌ＝カトリーヌがブライトヴィーザーの主張する以上の存在であることがわかるが、彼女について彼が正直に話していないことについては我慢して触れないでおく。アンヌ＝カトリーヌも母親もスイスで刑事告訴されることはない。それはフランスの警察の仕事になる。もしフォン・デア・ミュールがふたりの女性の関与を強く示唆したりすれば、ブライトヴィーザーは口を固く閉ざし、弁護士を呼ぶだろう。ふたりの女性を無罪として扱うことは、彼の自白を引き出すための暗黙の代償なのだ。

捜査官とブライトヴィーザーが論じるのは、盗んだ美術品のことだ。象牙、銀器、陶器、金細工などのことで、絵画については一切話さない。絵画はもっとも高価な美術品なので、フォン・デア・ミュールは質問せずに我慢している。ふたりがもっと深く信頼し合えるようになるまで待つしかない。フォン・デア・ミュールはそのときがようやく来たと判断する。

「おたくが盗んだ絵について話さなくちゃならない」とフォン・デア・ミュールは率直に言

う。運河で見つかったのは一枚だけ。銅板に描かれていたものだ。ブライトヴィーザーが持っている絵画はこれだけではない、と彼は確信している。ラッパを盗む前、ルツェルンで初めて逮捕されたときに狙ったのは板に油彩で描いたものだった。フォン・デア・ミュールは、ヨーロッパの美術館から奪われた絵画のうち、ブライトヴィーザーの犯行だと思えるものが十点から二十点ほどあると推測している。相当な量だ。

「何枚あるんだ?」と彼は訊く。

ブライトヴィーザーは本当の数を言わなくてもよかったが、ついつい自慢げに口に出してしまう。ルネッサンス期の絵画を六十九枚盗った、と。

フォン・デア・ミュールは平静さを装いながらも、この事件は歴史上最大の美術犯罪のひとつになると考えている。重要なのはその盗みの詳細を詳《つまび》らかにすることだ。絵画は長いあいだ秘匿されていればいるほど、損傷の状態が取り返しのつかないものになっていきかねない。「それはどこにあるんだ?」と彼は尋ねる。

「最後に見たときには屋根裏部屋にあった」とブライトヴィーザーは答える。コレクションが運河のゴミとなっていたことを警察の報告書で読んだとき、彼は激しい衝撃を受けたが、いまでは自分の人生のほうが喫緊の問題になっているので、そのことにかまってはいられない。いつの日かなにもかもが明らかになるだろう。運河から見つかった美術品はその水難によく耐えた。作品を水に浸けることは、ブライトヴィーザーの推奨する行為ではなかったし、どうしてそうなったのか理解もできなかったが、致命的な損傷を被らずにすんだ。絵画はもっとよい状態で保存されていてほしいと思った。あるいはまだ屋根裏部屋の壁に掛かっているのではないかとかすかな希望を抱いた。フォン・デア・ミュールはようやく、マイヤーが捜査令状を取って屋根裏を調べたが、そこにはなにもなかった、と彼に伝えた。ブライトヴィーザーの困惑は最高潮に達し、パニックを起こす。「じゃあ、絵がどこにあるのかはわからない」と彼は言う。

フォン・デア・ミュールは、ブライトヴィーザーがひそかに屋根裏部屋を掃除して痕跡を消すよう命じたのではないか、あるいは恋人と母親と三人であらかじめ別の保管場所を決めてあって、緊急事態には絵画をそこに隠せと指示していたのではないか、と考えていた。運河に捨てたことがこちらの裏をかく策略だったことも考えられる。ここにあるのがすべてだと思わせるために。そして本物の宝は隠したままにしておく。フォン・デア・ミュールはかなりの時間をブライトヴィーザーと過ごしてきたため、彼の心理を読めるようになっていた。それで彼は、この美術品泥棒が実は隠し場所をまったく知らないことを確信した。

彼は判事と協議し、以下のことを了承してもらう。二〇〇二年の三月初旬、絵画の在処《ありか》についてて話し合うために、そしてうまくいけばその在処を警察に伝えるために、ブライトヴィーザーの母親を逮捕免除を条件に召喚する。そうすれば母親も、三ヶ月以上も面会人のないまま収監されている息子に会うことができる。アンヌ＝カトリーヌはスイス警察の要請に応じない。フォン・デア・ミュールは無理やり彼女の口を割らせることはしたくないので、彼の母親だけを取り調べのために呼ぶことにする。

ステンゲルは自分で車を運転して国境を越える。会合は判事の部屋でおこなわれる。その部屋にはフォン・デア・ミュール、判事、ブライトヴィーザー、そして母親がいる。フォン・デア・ミュールはステンゲルに直球の質問をする。盗まれた絵はどこにしまったんですか。

「絵ですって?」母親はこともなげに言う。「なんの絵です?」

ブライトヴィーザーは母親がわざわざここまでやってきて、意固地になっている理由がわからない。「でも、ママ。知ってるんでしょう」と彼は哀願する。

「いったいなんのことを話しているの?」母親は息子を睨みつけて言う。まるで侮辱されたとでもいうように。

フォン・デア・ミュールはもう一度母親に、絵画のある場所を話してください、と言う。判事も同じように言うが、ステンゲルはまったく応じない。苛立った判事はたった五分で会合を終わらせる。

母親が帰る前、フォン・デア・ミュールは判事と協議していて、ステンゲルと息子のふたりだけになる瞬間ができる。彼女の態度は少しも変わらない。彼女は涙をこぼしながら息子をしっかりと抱き締める。いかにも普通の愛情の示し方だ。その瞬間が過ぎ、ブライトヴィーザーが体を引き離されて独房に連れられていくとき、母親が耳打ちをする。「絵のことは言っちゃだめ」と重々しい声で。母親は、息子がすでに絵を盗んだことを警察に話したことを知らない。「絵はないの。なかったのよ」と母親は今度ははっきりと警告を発するが、時間がなくそれ以上は話せない。なにが起きたのか、彼はここで初めて気づく。

第31章

ブライトヴィーザーはようやく呑み込める。二〇〇一年十一月にアンヌ＝カトリーヌはワーグナー記念館で彼が逮捕されたのを見たあと、逮捕されずにすんだのだ。彼女の車は記念館に駐車してあり、キーは彼女のバッグのなかにあった。

その後で、彼は確信が持てなくなる。アンヌ＝カトリーヌはその後なにがあったのかを一度だけ公式に、宣誓をして、フォン・デア・ミュールとフランスの警官に供述している。二〇〇二年五月、ブライトヴィーザーの母親がスイスまで成果のない旅をしてから二ヶ月後のこと、フォン・デア・ミュールはフランスに赴いた。まだ絵画の行方はわかっていない。アンヌ＝カトリーヌは召喚されて取り調べを受けたが、屋根裏部屋を掃除したことについての彼女の発言はそっけないものだった。彼女は、美術品のことでなんの役割も演じていません、

と言い張る。「盗品の隠滅に手を貸したことはありません」とだけ言い、それ以上詳しいことは話さない。

二〇〇二年五月に、ブライトヴィーザーの母親も逮捕され、フランスの捜査官だけに取り調べを受ける。警察署で宣誓したステンゲルは、出来事の流れを確認し、なにもかも自分ひとりでやったのだと言う。アンヌ＝カトリーヌはかかわりがない、と。彼女は、自分が下した決定に「苛《さいな》まれている」感じがすると言い、屋根裏部屋を一掃した夜について「絶体絶命のとき」と語るが、どんなふうにそれをおこなったのか、なぜそんなことをしたのかという質問には一切答えようとしない。

盗みを始めて八年、二百件以上の窃盗をおこない、三百点の作品を奪った。屋根裏部屋はブライトヴィーザーの傑作だ。心身の健康のために、作品の最後がどうだったのかを知る必要がある。たとえそれが最悪の知らせであっても、それを知らずにいるほうがずっと精神に悪い。彼は母親から事情を教えてもらおうとするが、刑務所の面会室では秘密を守ることはできない。母親から耳打ちされてから三年後の二〇〇五年に、ようやく彼は母親にもっと詳しい話を、警察での供述より詳しい内容を話してくれと頼むことができる。さらに彼は警部たちからも情報をこつこつと集めるが、その夜の正確な時間の流れはわからないままだ。母親に手を貸していた人がいたのかどうか、事情を知っていて話をしようとしない人がいるのかどうか。少なくともブライトヴィーザーは、こういう結末だったことに納得している。最後はいつも同じことになるのだ。

アンヌ＝カトリーヌがワーグナー記念館から戻ってくるところから始まる。この出来事についてブライトヴィーザーがはっきりとわかっているのは、アンヌ＝カトリーヌがひとりで車を運転して彼の母親の家まで二時間かけてたどり着いたことだ。彼女はステンゲルに、息子がいっしょにいない理由を話す。ブライトヴィーザーは母親の反応だけは思い描くことができる。四年前、彼女はトップレベルの弁護士を雇い、ルツェルンの美術品泥棒の罪から息子を救い出したのに、またもや息子は同じ町で同じ罪を犯して勾留されている。

母親は、このとき初めて二階に行った、と警察に述べている。母親は自分の息子が泥棒だと気づくが、屋根裏部屋の光景を、異常なくらい大量な美術品の数を見る心の準備はまったくできていない。しかし彼女は色彩に魅せられたり、美に捕らえられたりしない。そんな場合ではない。失業中の成人した息子が彼女の人生をめちゃくちゃにしたばかりだ。目の前にあるものすべてが盗品なのかどうかわからないが、これをここに隠しておいたら、彼女は共犯者として三百回も告発されることになりかねない。恥辱を受け、収監され、財政的に破綻するだろう。屋根裏にあるどの作品も「個人攻撃」しているように感じた、と彼女は警察に述べている。

そのときに、ワーグナー記念館で息子が逮捕されたその同じ日に、母親は動き出した、とブライトヴィーザーは考えている。ステンゲルはそのとき「怒りが爆発し」「破壊的な錯乱状態に陥り」「一回の爆発であらゆるものを」攻撃したと述べている。ベッド脇のテーブル、大型衣装簞笥《だんす》、ドレッサー、机といった家具を一掃し、飾ってある作品をすべて床に落として粉々にし、積年の恨みを晴らす。かなりの数の絵画を引っ張り下ろす。「二十点か、五十点くらい」と彼女は言っている。ゴミ袋と段ボール箱を階下から運んでくると、屋根裏にある銀器や陶器、象牙作品、ほかの作品――「金属のゴミ」すべて、と彼女は言っている――を、銅板に描かれた絵といっしょにゴミ袋のなかに押し込む。七個か八個の袋と何個かの段ボール箱をいっぱいにする。

アンヌ＝カトリーヌの供述によれば、この時点で彼女はすでに自分のアパートメントに戻っている。屋根裏で何が起きているかは知りようもない。ブライトヴィーザーは、彼女はしばらく彼の家に留まり、母親にやめてくれと必死で頼んだと思っている。ところが母親は聞く耳を持たない。彼女が決定を下したら、その決断を曲げさせることはできないんだ、とブライトヴィーザーは言っている。「ぼくの母親は壁みたいなものだよ」と。アンヌ＝カトリーヌが家に残ってステンゲルの行動に手を貸したこともありえる。もしかしたら段ボール箱に作品を投げ入れたかもしれない。彼女は窃盗から足を洗いたがっていた。そのときが来たのだ。

ステンゲルはぱんぱんに膨らんだ袋と箱を屋根裏から下ろし、自分の灰色のＢＭＷハッチバックに運び込んだ、と彼女は警察に供述している。それから、夕暮れにひとりで車を北へ向けて三十分ほど走らせ、ローヌ＝ライン運河の目立たないところに架かる狭い橋のところまで行く。このあたりは犬を連れてよく散歩していたことがある。運河のそばの木々の間に車を停め、袋と箱を下ろし、岸まで何度も往復し、運河のなかに作品を投げ込む。ステンゲルは警察に、少しも悪いとは思っていないと語っている。「わたしにとってなんの意味もないものです」と。いくつかの美術品は流れに乗るがすぐに泥のなかに沈んだ。銀の二点のゴブレットは遠くまで投げられなかったので、水の中で陽の光を受けてきらきら輝いていた。

その夜、運河まで二回の荷物を運んで戻ってくると、残りの銀器、さらなる銅板の絵、城の窓から投げ落としたタペストリーや、彼が雨の日に教会から引きずり出してアンヌ＝カトリーヌの車に入れて運んだ聖母マリア像を処分しようとする。しかし、聖母マリアは百五十ポンドの重さがある。「母ひとりで運べたなんて、信じられません」とブライトヴィーザーは語っている。手を貸した人物がいたはずだ。

ステンゲルは夫と離婚してから十年後、初めて恋人ができた。偶然にも相手は画家で、ジャン＝ピエール・フリッチュという名の、長髪で整った容姿の壁画専門の画家だった。フリッチュの所有地には私用の池があり、錠の下りた門を通らなければそこまで行かれない。警察がフリッチュとステンゲルとの関係を知り、ダイバーを池に潜らせたところ、銀器のみの盗品が十点引き上げられた。フリッチュは警察の取り調べを受けた際、ステンゲルに手を貸して美術品を運んだことなどなく、自分の所有する池にそんなものが入っているとはまったく知らなかった、と述べている。結局、フリッチュが逮捕されることはないが、ブライトヴィーザーは少なくとも夜の作業のとき彼が母親に手を貸したと信じている。

重さ百五十ポンドの聖母マリアは田舎の教会の敷地に捨てられていた。そこはフリッチュの池からそう遠くない農地のなかだ。しかもその教会のミサにステンゲルはよく参加していた。彼女は、マリア像をひとりで動かすことができた、と主張している。「時間はかかりました。とても大変でした。靴の上に像を置いて、苦労しながら足を一歩一歩進めていったんです」。このマリア像は通りがかりの人に発見され、もとの教会の台座の上に戻され、新しいボルトで固定された。

城の窓から放り出されたタペストリーは、ドイツ国境の国道83号沿いの溝に投げ捨てられていたのを、その数日後、車の運転者が用を足そうと車を道の脇に寄せたときに見つけた。高価なものに思えたので、その地区の警察に連絡すると、警察は、どこにでもゴミを捨てる人物が捨てた安い敷物だと判断する。しかしきれいな色だったので、警察の休憩室の床に敷く。ところが運河で美術品が見つかったことを知り、フランスの警察とフォン・デア・ミュールに連絡をとる。十七世紀のタペストリーは運河の品々が保管されている同じ美術館に輸送された。

三枚の銅板の絵は、エア・フランスの赤いブランケットに包まれ、タペストリーが捨てられていた道路の近くの森に放棄されている。樵《きこり》がそれを見つける。樵は新品のブランケットに有頂天になる。銅板の絵はとても高価なものに見えたが鶏小屋が雨漏りしていたので、その三枚の銅板を屋根に打ち付ける。そのうちの一枚には『秋の寓話』という銘記があり、ブリューゲルの作品だとされているものだ。裏側にはテープで留められた紙がある。「生涯芸術を愛する」と、「ステファヌとアンヌ＝カトリーヌ」という署名がある。ひと月後、樵は盗まれた美術品がこの地区で発見されたという新聞記事を読む。その銅板は、修復に時間がかかりそうだが、間もなくタペストリーと運河の品々と同じ保管所に収められる。

　板に描かれた油絵は、ブライトヴィーザーによれば、最後の宝物だ。彼は、当夜遅くに、おそらく明け方に、どこかへ移されたと考えている。「正確な時間はわかりません」とステンゲルは警察に述べている。屋根裏部屋に残っていた絵画はすべて、母親が三度目と四度目のドライヴに行く際に車へ投げ込んだ、とブライトヴィーザーは確信している。母親はそのほかにも、美術関連の彼の蔵書、何千枚にも及ぶ研究書のフォトコピー、スクラップブック、そしてヴェルサーチのジャケットから汚れた靴下にいたるまで、彼のあらゆる衣類も捨てる。そして絵の掛かっていたフックを取り外し、その穴をスパックルで埋め、壁を修復し、寝室を黄色に、居間の部分を白に塗る。三週間後に国際捜査令状を携えて捜査官たちがやってきたときには、塗ったばかりのペンキの匂いは消えていて、よもや壁を修復したとは思わず、用意周到に調べられることはない。

　しかし、ステンゲルはこの部屋を修復する前の段階で、絵画を人目につかないところへ運んでいく。ブライトヴィーザーによれば、母親は、どこへ運んでいったのかと彼が尋ねても「森よ」としか答えなかった。フリッチュが手を貸したかどうかわからないが、絵画は全部で六十点以上あったので、開けた場所に積み上げれば大きな山になるだろう。肖像画や静物画、寓話となっている風景画などが積み重なった美の塊は、奇妙なほど恐ろしいものに変わってしまった。

母親がこんなことをしたのは献身的な愛情からだ、とブライトヴィーザーは信じたかった、信じようとした、信じなければならなかった。「ぼくを守ろうとしたんです」と彼は言う。母親は屋根裏部屋の痕跡をすっかり消し、警察は犯罪の手がかりとなるものをなにひとつ見つけられない。麻薬をトイレにすべて流して証拠を隠滅した例よりさらに徹底した仕事ぶりだ。そんなことをしたのは、母親としての究極の愛情表現だ、とブライトヴィーザーは言う。

ステンゲルは警察にこう述べている。「これまでわたしにしてきた仕打ちのことを思うとね、あの子を傷つけたかったんですよ。罰したかった。だからあの子のものすべてを破壊したんです」

母親はライターに点火し、絵画の山に火を付けた、とブライトヴィーザーは言い、その光景を思い描く。ガソリンがあれば火の勢いがさらに増したかもしれないが、その必要はなかっただろう。古い板は乾ききっているし、油絵は燃えやすい。たちまち炎が上がり、絵画はシュウシュウ、パチパチと音を立て、ぶくぶくと泡を出し始める。灼熱の炎が這《は》い上り、絵具がマスカラのように額縁の上を流れていき、そこから地面に滴り落ちていく。すべてを包み込んだ炎はたちまち跳ね上がり、さらに燃えるものを求める。大きな山は燃え尽くし、黒焦げになり、灰しか残らない。

第32章

彼が投獄されたスイスの拘置所にあるテレビでニュースが流れる。二〇〇二年五月中旬、警察でブライトヴィーザーの母親の聴き取りが終わり、絵画すべてを灰にしたことを認めた直後に、この事件のことがメディアに漏れる。新聞記者たちにとっては喉《のど》から手が出るほどの餌《えさ》だ。前例のない犯罪行為、母と息子と恋人のもつれた関係から生まれた美術品の破壊。それにメディアは飛びつく。

最初の二ヶ月のあいだ、ブライトヴィーザーが知っていた絵画の運命といえば、母親の謎めいた耳打ち――「絵はないわ、なかったのよ」――でしかなかった。そしていま彼はほかの人々と同じように、テレビの報道を見て知る。母親は聴取されているあいだ、自分の行動の詳細については漠然としたことしか述べていない。「よく覚えていないんです」と彼女は言った。母親は、絵画をすべて跡形もなく処分したことは確かだと請け合ったが、火を付けて燃やしたとブライトヴィーザーが知ったのは、その三年後のことだ。メディアのなかには、想像をたくましくして、供述の空白部分を埋めようとしたところもあった。広く伝わっている話は、彼の母親がすべての絵画をキッチンの流し台についているディスポーザーに叩き込んだというものだ。しかしブライトヴィーザーには、板に描かれた絵が、しかも六十枚も、そんなふうに粉々にできるとは到底思えない。なにより、母親の家にはディスポーザーがない。

アルザスの新聞「ラルザス」は、彼の盗品の総額は十億ドルに値すると報じる。イギリスでは、ＢＢＣニュースが十四億ドルという数字を出した。「ニューヨーク・タイムズ」は十四億から十九億ドルと評価した。アルザスのいちばん読まれている新聞「レ・デルニエール・ヌヴェル」は、二十億円以上と試算している。美術館の作品の大半は市場で売れることはないので、数字を出すことは難しい。

ブライトヴィーザーが自分のコレクションの価値をかなり低めに評価していたのは、高価な美術品の管理人であることにそれほど重圧を感じたくなかったからだ、と彼は説明する。美術品の調査研究をしていてよく知っていたはずだが、彼の出した数字は三千万ドルほどだという。二十億ドルを弁償しなければならないことを彼は恐れている。人生を五十回繰り返しても返済できるかどうか。この先も決して金は手に入らない。刑務所に届いた取材依頼をすべて辞退している。もっとも、警察が取材を許可するとは思えない。ブライトヴィーザーは公的にはひと言も話していない。

彼はテレビのニュース報道で、母親が収監されたことを知る。アンヌ＝カトリーヌの身は自由だが、裁判は開かれる。供述書には、盗みや破壊行為にかかわったことはない、とある。彼の母親――小児科の看護師であり、教会の熱心な礼拝者であり、称賛すべき市民であり、彼の盗みにかかわりのない女性――は刑務所に入れられる。彼の頭は「ショートしている」。途轍もない悲しみを感じている。独房でデンタルフロスの糸を引き出し、三つ編みで一本の紐《ひも》にして輪を作り、独房の作り付けの備品に結わえる。フロスの糸が重さに耐えられるかどうかわからない。しかし、実行する機会が見つからない。彼の動きを察した監視が飛び込んでくる。

「もう耐えられないんです」と彼は警官に話す。自殺監視付きの独房にたちまち移されて、抗鬱剤を処方される。

独房の格子窓から、下の通りを行き来する車のライトが見える。緑、黄、赤とゆっくりと流れていく様子を見て時間を過ごす。フォン・デア・ミュールが心配して立ち寄り、オークション・カタログを手渡す。ブライトヴィーザーはもうカタログを見るのに耐えられないが、彼の思いやりに感謝する。三日間、車のライトを見て過ごしたよ、と彼は言う。すると頭のなかが落ち着いてきて、自分にはまだ最後の希望がある、と思う。コレクションを失っても、アンヌ＝カトリーヌがいるではないか。

　最後に彼女の顔を見たのは半年前のことだ。ワーグナー記念館で彼が逮捕されそうになったときの絶望的な表情だ。いま、彼女が白昼夢に出てくる、と彼は言う。ロウファッハの中世の色合いの強い村で小さなレストランに向かい合わせに座り、彼女がえくぼを浮かべてにっこり笑っているのだ。ロウファッハでふたりは夜のデートをして散財したものだ。いつもアルザス風の焼きタルトを注文した。もしふたりの愛情が復活することになったら、二度と正気を失うことはない。彼女は生きる支えなのだから。

　警察は、運河の美術品を盗んだことを彼が認めて以来、アンヌ＝カトリーヌとの接触を、手紙のやりとりすらも、禁じていた。交流する機会を与えれば、取り調べに支障を来すと警察は考えている。しかし、ブライトヴィーザーはメモの一枚を滑らせるくらいのことはできると思っている。だからアンヌ＝カトリーヌに頻繁に手紙を出し、赦《ゆる》しを乞い、愛していると訴えている。拘置所から間もなく出られたら、セールスマンとして正規の仕事に就く、とも書いている。それからふたりの家を買い、子どもを作り、ずっと幸せに暮らしたい、と。二〇〇二年十月に三十一歳になるまでに、彼は二十通の手紙を送っている。そのうちの何通が届けられたのか、彼にはわからない。わかっているのは、返事が一度も来なかったということだけだ。

　後に、捨てばちになった彼は、監獄では禁止されている携帯電話を借り、記憶していた彼女の病院の電話番号にかける。小児科に転送され、電話を受けた受付係にアンヌ＝カトリーヌの名前を告げる。彼女の名前が呼ばれるのを聞き、心臓が激しく鼓動する。しかし受付係が電話に戻ってきて、おかけになっているのはどなたですか、と尋ねる。

「スイスの友人です」とブライトヴィーザーは答える。電話の向こうで囁《ささや》き声が聞こえてくる。

「アンヌ＝カトリーヌはあなたとお話ししたくないとのことです」と受付係が言い、電話が切られる。

絶望感に呑み込まれる。母親は監獄に入り、息子と話をするのを禁止されている。警察の同意があれば彼には面会が許されているが、祖父母は体が弱くここまで車を運転してくることはできない。友人はひとりもいない。自分の屋根裏のコレクションに、彼は身を滅ぼされるのだ。

彼を救ってくれる人が現れる。父親だ。一通の手紙が彼の独房に届けられる。長い時間が経ったが、封筒の筆跡を見間違えることはない。手紙を開けると、仲が悪かった記憶に打ちのめされた、と彼は言う。夜中に言い合いをしたあと、怒りにまかせて父親のメルセデスのアンテナを折ったときのこと、ジュネーヴ湖で父親の運転するボートで水上スキーをしたときのこと。その手紙が八年の沈黙を破る。父親はそのあいだに再婚していた。ブライトヴィーザーは継母にも継子にも会ったことはなく、父親も自分の息子が監獄に入っていることを知らずにいた。ロラン・ブライトヴィーザーはテレビのニュースを見て、ペンを執ったのだ。

「私はおまえに手を差し伸べている」と父親は書いた。心のこもった支えとなる言葉を。「私の手を取ってくれ。おまえを助けるために私はここにいる。自尊心と憎しみとをいったん忘れてくれ」。その手紙はこう締めくくられていた。「おまえの父」

ブライトヴィーザーの硬い心は解け、四枚にもわたる手紙をすぐに書いて送る。間もなく、父親が面会に来て、チーズとサラミの差し入れを持ってくる。同じ透き通るような青い目をし、引き締まった競争犬のような体形をしたふたりの男は、関係を一から始めることに同意する。父親は土曜日ごとに息子に面会するようになり、面会の始まりにはたいてい息子をしっかりと抱き締め、話し合いは三時間に及ぶ。拘置所が許している最大の面会時間が三時間なのだ。二十億ドルというのはどう見てもとんでもない金額ですよ、と父親は言う。フランスの美術警察の警官がテレビのニュースで、「ブライトヴィーザーの犯罪は犯罪を記録した本の、美術史の部門に永久に刻まれることでしょう」と言っている。

ある土曜日、父親は新しい妻と娘とを伴ってやってくる。面会室でブライトヴィーザーは父親の新たな家族に紹介される。ブライトヴィーザーは、本当にその人たちが気に入ったんだ、と言っている。父方の祖父母は亡くなっていたが、父親はよく彼を母方の祖父母の家まで車で送ってくれた。母方の祖父母はいつでも彼の味方で、いまも罪を犯した彼を許している。「美術館が美術品をその辺に置いておかなければよかったのにね」と祖母は彼に言う。

面会人に支えられ、厳格な監視と自殺させないための見張りが解け、彼は拘置所の生活リズムに少しは慣れようとする。補聴器を組み立てる仕事を得る。エクササイズ用の固定自転車で何百キロメートル分も漕ぐ。マネーロンダリングの美術品利用について収容仲間から教わる。拘置所で天職を見つける。流通している不法ドラッグを試してみることには関心がないため、彼のいう「所内尿検者」になる。自分のきれいな尿をサンプルとしてドラッグテストに合格したい仲間に提供し、標準的な報酬としてコカ・コーラ一缶をもらう。

彼の裁判は、お役所仕事にはよくあるように延期されていく。スイスにおける六十件以上の美術犯罪と、十五件の駐車チケット代の未払いで起訴されている。スイスはこれらを深刻に受け止めている。フランスではその後に別の裁判も控えている。母親とアンヌ＝カトリーヌと彼が被告人になっている。ブライトヴィーザーが美術品を盗み出した七ヶ国でそれぞれに裁判があるものと考えられる。自由の身になるときがくるだろうか、と彼は考える。二度目の勾留期間中にクリスマスが過ぎていき、二〇〇三年の一日目を迎える。裁判所が指定した弁護士ジャン＝クロード・モリゾーと面談を繰り返しおこなう。モリゾーはこの裁判のために選出された優秀な弁護士で、法曹界では美術品愛好家としても知られている。

二〇〇三年二月四日の火曜日の朝、ワーグナー記念館で逮捕されてから十五ヶ月後に、ようやくブライトヴィーザーは護送用ヴァンに入れられる。眠れない夜を過ごしたために疲れ果て、身なりもかまわず、髪は乱れたままだ。ヴァンから出され、手錠をつけたまま、花崗岩の石積みの壁に小さな窓が並び、四隅には小塔が付いている十三世紀の要塞の前に連れていかれる。この要塞はいまではグリュイエールの刑事裁判所になっている。ブライトヴィーザーはスイス連邦二十六州のうち十六州の、最低でもひとつの美術館で作品を盗んだ。そしてグリュイエールがこの裁判の地に選ばれたのは、彼がスイスで最初に犯罪をおこなった――アンヌ＝カトリーヌとスキー旅行の際に油絵を盗んだ――のがここだからだ。

ブライトヴィーザーが雪の積もった橋を渡り、壕を越え、要塞のなかに入るまで、カメラマンたちの長い列からストロボがたかれる。聞き取れない質問が怒鳴り声となって飛んでくる。そのとき、もっとましな服を着てきちんと身繕いしてくればよかった、と思ったという。彼の入った法廷は厳粛で、白と灰色の漆喰の壁に大理石の暖炉がある。暖炉の上には「芸術、科学、商業、豊潤」というスイス連邦の美徳が記銘されている。

彼は判事と向かい合う席に座る。判事は長方形の眼鏡をかけ、その視線はブライトヴィーザーの目に注がれていて、威圧感のある聡明な態度を醸しだしている。判事の横には四人の陪審員がいる。女性が三人に男性がひとり、全員が中年だ。この四人は裁判長が評決を下すときに、場合によっては刑罰を決定するときに加わることになっている。ブライトヴィーザーの弁護士は身なりがよく貴族的で、彼の後ろの席に着いている。大勢のメディア関係者のために追加された椅子に人がぎっしり詰め込まれている。ブライトヴィーザーは、法廷にいるみんなの目がこっちに集まっているのがわかった、と言う。そして開廷が宣言され、彼の裁判が始まる。

第33章

彼の罪の有無は問題ではない。ブライトヴィーザーはすでに何十枚もの供述書にサインをしている。争点となるのは刑罰です、と彼の弁護士が言う。ブライトヴィーザーはすでに拘置所に四百四十四日間も留め置かれているので、それで充分です、と弁護士は言う。すぐさま釈放されるべきです、と。ブライトヴィーザーは穏便に盗みをおこないました、丁寧にと言ってもいいくらいです、と裁判長に訴える。「彼は泥棒ではなく、紳士なのです」。美術館に入るときに入り口を壊したり、施設を破損したりしませんでした。唯一チューリッヒ近くの城でガラスの展示ケースを壊したことがあります。それについては、彼は心から謝罪し、弁償を申し出ています。

弁護側の証人はふたりだけだ。額縁職人のクリスティアン・メイヒラーは、友人が泥棒だと知って心底驚いたが、彼の自然な反応は共感できる、と言う。ブライトヴィーザーと友だちになったことはめったにない喜びだった、と。「魂の底からコレクターなんです」とメイヒラーは証言している。「でも、ありあまる情熱に目が眩んでしまったんです」。メイヒラーはさらに、スイスまで自前の金で旅をしてきたと言い、判事が、裁判所がその費用は払いますよと述べると、そんな必要はありません、と答える。「ここに来たのは友人のためですから」。「きみをがっかりさせてしまったことが残念でならない」とブライトヴィーザーが法廷の椅子から言う。

「謝らなくたっていい」とメイヒラーは答える。

父親も証言台に立つ。ロラン・ブライトヴィーザーは、息子がいくら子どものころからひとりが好きだったとはいえ、こうした仕儀になったことには、長引く離婚の係争と、自分が家を留守にしていたことが原因だったかもしれないとして、部分的な責任を感じていると述べる。「息子には友人が大勢いませんでした」と父親は振り返る。ひとりでいるのを好み、美術館や考古学の遺跡などを訪れるのが好きでした。「世の中の傑作に囲まれていなければならなかったことは別に驚くことではありません」。息子はいつも人間よりも物に愛着を抱いていたようだった、と。

ブライトヴィーザーが証言台に立つ。涙ながらに彼が訴えるのは、自分のコレクションをどうやって終わらせるかいつも考えていた、ということだ。古い美術品はタイム・トラベラーのようで、屋根裏部屋はひとつの中継地点だった。コレクションは自分よりも長く生き続けるはずだった。「ぼくは一時的な管理人にすぎなかった」と彼は付け加える。すべてを返すつもりでいた。「十年か、十五年か、二十年のうちには」。そのあと彼のコレクションはそれぞれ独自の旅をするはずだった。

「泣きべその子どもが弄《ろう》する甘言《かんげん》に騙されちゃいけません」とスイスの検事はこの空想の言葉にうんざりしながら反論する。「ここにいるのは危険な男です。社会に脅威を与える男です。良心の呵責を示していない」。この機会を与えられて、検事は裁判長に、ブライトヴィーザーはまた盗みを働きますよ、と警告する。

ブライトヴィーザーは、ちがう、と反論する。もう終わった、と。「盗みは終わったんです。それは保証します。ぼくは芸術にもう充分に罰せられたんです」彼は、これでおしまいなんですと繰り返す。「いつか、なにもかもを返すつもりでいたんです」

裁判長も半信半疑だ。「あなたの名誉にかけて誓いますか」と裁判長は訊く。

ブライトヴィーザーは誓う。

そして彼の弁護士が強く言う。ブライトヴィーザーが言っているのは、彼は盗んではいないということです。借りていたんです。泥棒に貸し出された美術品という発想は非常識極まりないように思えるが、イギリスの法廷弁護士ジェレミー・ハッチンソンは一九六一年にゴヤの『ウェリントン公爵』がロンドンのナショナル・ギャラリーから盗まれたときに犯人の弁護であざやかに論じた。五十七歳の泥棒ケンプトン・バントンは、その絵画を自分のアパートメントに四年間も秘匿していたが、とうとうバーミンガム鉄道駅の荷物検査オフィスに捨てた。裁判でバントンは絵画泥棒からは無罪放免になった。しかし二度と戻ってこなかった額縁を盗んだことで起訴され、懲役三ヶ月の刑を受けた。

一九一一年に『モナ・リザ』を盗んだヴィンセンツォ・ペルッジャは母語のイタリア語で審議をされた。イタリアで捕まったからだ。彼の弁護士はこの裁判に、絵の美しさに魅せられて、そして愛国心によっておこなった、という主張で臨んだ。「彼女に恋をしてしまったんです」とペルッジャは『モナ・リザ』について述べ、この肖像画をイタリアに持ち帰れたのは栄誉なことだ、とも言った。ペルッジャがその絵画のために現金を要求していたことや、フランスが法的な所有者であることは忘れ去られた。策略が功を奏した。歴史上もっとも向こう見ずな美術品窃盗事件のひとつを起こした彼は、合計七ヶ月と九日のあいだ投獄された。

両方の事件とも、作品は無傷で取り戻せている。ブライトヴィーザーも同じように無傷で返すことを望んでいたんですよ、と彼の弁護士が指摘する。彼はすでに『ウェリントン公爵』や『モナ・リザ』の窃盗犯よりも長い時間を牢獄で過ごしています。コレクションの最後があまりにも悲劇的ですが、美術品が破壊されたことはブライトヴィーザーのせいではありません、と弁護士は言う。

もちろん、紛れもなく彼のせいですよ、とスイスの検察官は言う。もしブライトヴィーザーがほかの人々と同じように美術館を利用していたら、美術品はすべてあるべきところにあったはずだ。ブライトヴィーザーは無害な窃盗犯だという意見はまったくもって非常識だ、と検察官は主張する。ブライトヴィーザーはこれまでもっとも悪意ある美術品窃盗犯だ、と。スイス警察は、彼が盗みをする際のやり方四十七種類をリストに挙げる。この七年間で、十二日間おきに盗みを働いていた。彼の犯罪が無害であることなどありえなかった。検察官は法廷に、美術館の学芸員たち、画廊のオーナーたち、オークション・ハウスの人々からの手紙の束を提出した。どの手紙も怒りに満ちていて、美術品の返還を要求している。彼の不安定な精神はこの被害を見ていないのかもしれないが、ここ現実世界では、彼は美術館と文化遺産に損害を与えたのだ、と検察官は付け加える。犠牲者はわれわれ全員なのです、と。

ルツェルン市の文化局長が検察側の証人として召喚される。文化局長はワーグナー記念館から盗まれたラッパ、つまりブライトヴィーザーの最後の窃盗品がいかに素晴らしいものであるかを訴える。「唯一無二の絶品でした」と文化局長は言う。一五八四年に作られ、金めっきを施され、何世紀も褒め称えられてきたものです。肩紐だけでも、ルツェルンの紋章が刻印されていて、歴史的に見ても重要なものです。

屋根裏部屋から取り出されたいくつもの美術品と同じように、このラッパも見つかっていない。肩紐《かたひも》だけは運河から引き上げられた。ラッパ本体のほうは水に流されていったのかもしれないし、泥のなかに沈んだのかもしれない。ほかの作品は発見されないまま運河や川、池などの水に浸かっているのかもしれない。ブライトヴィーザーの母親は口を割ろうとしない。何人かの新聞記者が、ブライトヴィーザーとその母親、アンヌ＝カトリーヌの三人を美術品隠匿の罪で告訴したが、捜査官がこれまで突き止めたところでは、その罪に問えるかは懐疑的だ。もっと悪い結果も考えられる。木彫の大半は見つかっていないのだ。コレクションの最後の夜に関して取り調べを受けたブライトヴィーザーは、木彫も油絵と同じ運命をたどったのではないかと考えている。

グリュイエール城の学芸員は検察側の証人台に立ち、美術館で盗まれた四点について、詳細を述べる。運河で発見された金めっきの暖炉用具は修復された。道路脇の溝に放り出され、後に警察署のビリヤード部屋に敷かれていたタペストリーも修復された。しかし大事な絵画二点は永遠に見つかることはない。この学芸員は、警報システムを最新のものにしたと述べる。

スイスの南西部に位置するヴァレー州のマッターホルン近くにある歴史博物館の館長マリー＝クロード・モランは、ブライトヴィーザーが一回の来館で盗んだ二点の作品について述べる。剣と煙草容《たばこい》れだ。剣は運河から引き上げられたが、煙草容れは見つかっていない。この容れ物はナポレオンの命を受けて、フランスの名高い細密画家ジャン＝バティスト・イサベーに描かせたものだ。「象牙のパステル画です」とモランは言う。「大変に珍しいもので、とても人気のある作品です」。一八〇五年の戴冠一周年の盛大な記念式典で、当時は独立共和国だったヴァレーにその煙草容れを寄贈し、フランスとの揺るぎない関係を祝した。「金銭的な価値以上に貴重なものは心情的な価値と、物と場所との繋がりなのです」とモランは言う。煙草容れを引き続き探してほしいとモランは熱心に警察に向かって言いながら、高ぶる感情をぐっと抑える。

ブライトヴィーザーですら面食らう。「申し訳ないことをしました、マダム」と小声で言う。「美術館はこうした窃盗を防ぐ準備をしていません。美術館を安全な場所にすることはできないのです。わたしたちは国民のために存在しています。来館者たちに、とりわけ冬に、コートを脱いでくれ、とは言えません。ダンテの作品ではないので〔『神曲』地獄篇。盗人の地獄では思いマントを着せられている〕」。モランの美術館は四階建ての建物だが、警備員はふたりしかいない。「それ以上雇う予算がないのです。ブライトヴィーザーが盗んだふたつ目の狩猟用の剣は、やはりフランスからヴァレーに贈与されたものです。ナポレオン時代より二百年前のことです」。十七世紀の剣は、刃から柄まで浮き彫り細工が施された、その時代の最高の銀細工だ、とモランは裁判長に訴える。

「申し訳ありません、マダム」とブライトヴィーザーは椅子から泣き声で言う。「口を挟んで申し訳ありません。ただ、十七世紀のものは刃の部分だけです。化学検査で鍔《つば》の部分は十九世紀に銀細工の名匠ハンス・ペーター・オエリの作品をコピーしたものです」

「どうやってそれを知ったんです？」モランが興味深そうに尋ねる。

「刃物類の武器についての本を読みました。それから、バーゼルにある美術館の図書館に行って、科学学会誌を調べたら、その剣を化学分析した論文があったんです」とブライトヴィーザーは答える。「ぼくはとてもがっかりしました」。剣はすべてオリジナルだと謳っている壁に貼り付けられたラベルは間違っていた、とさらに彼は言う。まるで彼が欠陥のある作品を盗んだのが美術館側のせいでもあるかのように。「コレクターとして、ぼくが好きなのは完璧な作品なんです」

モランは館長であると同時に歴史家であり中世研究家だ。その剣については彼女も詳細に調べ、ブライトヴィーザーと同じように真性に疑いを抱いていたが、その証拠が論文として発表されていたことには気づかなかった。「その学会誌の名称を教えていただけますか」とモランは言う。まるで学会の討論で同僚に話しかけるかのように。

ブライトヴィーザーはその名前をモランに伝える。

検察官が、彼の魅力を打ち消すように、ブライトヴィーザーに議論をやめるように木槌を叩く。検察官はブライトヴィーザーがアンヌ＝カトリーヌに出した手紙を読んでいる。警察が途中で取り押さえたものだ。「もしも逮捕されなかったら、いまごろはとても幸せでいるだろうね。二十点以上の新たな美術品を手にして」と率直に書いている。心理療法士ミシェル・シュミットは報告書のなかで、ブライトヴィーザーが「罪悪感を持てない」人間であり、「犯罪を重ねることは明らかである」と述べている。

もしブライトヴィーザーのような人々が市民社会で許されたら、文明社会は消える運命にある、とスイスの検察官は断言する。彼は裁判長に向かって、この加重窃盗に対して重い刑を科すよう要請する。ブライトヴィーザーの弁護士は寛大な処置を要求する。裁判長は三日間にわたる裁判を終わらせ、陪審員に審議に入るように伝える。

第34章

審議は二時間半に及ぶ。法律から見れば、窃盗犯の盗み方のほうが、盗んだ美術品よりも重要だ。たとえば、拳銃で脅してアイスキャンディーを奪うほうが、武器を持たずにクラナハを運び去る罪より重い。ブライトヴィーザーは一度も暴力に訴えたことはなく、脅して加害することもなかった。裁判長が彼の犯罪を単純な窃盗のレベルだと見なせば、最大の刑期は懲役五年だ。

陪審員が下した判決の刑期は四年で、そこにはすでに収監されていた一年半も含まれる。さらに夥しい罰金も科せられる。美術館と画廊に対して合計十万ドルだ。十億ドルではない。法律家は、この判決はかなり寛大なものだと見なすが、ブライトヴィーザーは騙されたと感じる。警部から言われて理解していたのは、自白すれば懲役刑はなくなり、裁判のあとですぐに釈放されるということだった。しかし、マイヤーとフォン・デア・ミュールは思わせぶりな仄《ほの》めかしをしただけであり、釈放されると請け合ったわけではなかった。法廷から引き出されて刑務所に連行されるとき、ブライトヴィーザーが助けを求めて傍聴席の父親を見ると、初めて父親が泣いているのを目にする。

スイスの郊外にある、四方に棟が伸びている刑務所に収容され、日中は所内で働くことが許され、古いコンピュータを解体して再生利用可能な部品を回収する仕事に就く。わずかな日当を得るが、稼ぎはすべて罰金の支払いに回される。父親は相変わらず月に二度、日曜日に会いにくる。裁判でブライトヴィーザーは、メディアが彼の窃盗品の総額を吊り上げてしまったことに不満を述べた。ところが、刑務所では、二十億ドルという数字のおかげで尊敬の眼差しで見られ、金額に異を唱えることはない。

三十二歳の誕生日が過ぎ、鉄格子のなかでの三度目のクリスマスが過ぎていき、二〇〇四年が始まる。卓球というスポーツを知るが、好きになれない。あまりにも恥ずかしがり屋なので、ほかの囚人のように裸でシャワーを浴びることができず、下着をはいたままでおこなう。アンヌ＝カトリーヌから一通の手紙でも届けば、そして元気でいることを知らせてくれたら、どれほど安心するだろう、と思うが、便りはない。

二〇〇四年七月十三日、ワーグナー記念館で彼の指紋を拭き取るためにアンヌ＝カトリーヌといっしょにスイスにやってきてからもうすぐ三年が経つというとき、彼はフランスに戻される。護送用のトラックに乗せられ、後ろに回した手に手錠を掛けられ、手首にひどい傷ができる。トラックが母親の家の近くを通ると、気分が悪くなる。父親は彼に告げる。逮捕されたので母親は仕事を馘《くび》になり、貯金がたいしてなかったので屋根裏部屋のある家を売って年老いた両親の家に引っ越した、と。

ブライトヴィーザーはストラスブールの収容者の多い刑務所に行き、ゴキブリが這《は》いまわり、壁に排泄物がなすりつけられた跡のある監房に、ほかのふたりの囚人とともに収監される。スイスでは看守は彼のことを「ブライトヴィーザーさん」と呼んだ。フランスでは番号を怒鳴られる。よい知らせも届けられる。次の裁判が最後になる、と。時間と費用を節約するためにほかの国がフランスと組んで進めることにしたのだ。

居心地の悪い二週間が過ぎると、なんの前触れもなく、彼は手錠をはめられて監房から出され、階段を何階分か上がり、この事件の責任者であるフランスの捜査官ミシェル・リシャールのオフィスに行く。弁護士がふたりと、さらに――胃が固まる――アンヌ＝カトリーヌがいる。

彼は彼女の名前を呼ぶが、彼女は応じない。彼女はまっすぐに前を見つめたまま、まるでロボットのようだ。彼は手錠を解かれ、みなが席に着く。捜査官が説明する――彼女がここに呼ばれたのは、スイスでのブライトヴィーザーの証言と、フランスでのアンヌ＝カトリーヌの証言とに食い違いがあるからだ、と。それを彼女はきちんと正したいと思っている、と。

しかしブライトヴィーザーの耳には入っていない。彼はひたすらアンヌ＝カトリーヌを見つめる。「どうしてなんの返事もよこさなかった？」と、いきなり口走る。

捜査官が彼女に代わって答える。アンヌ＝カトリーヌは、彼と連絡を取ることは今の今までいっさい禁じられており、連絡を取ったら投獄されると言われていた、と。そのとき、彼女は首を廻らせて彼を愛おしそうに見た。長い監獄生活のあとでは天国のように思える。彼女は今もこうしてここにいる。

ブライトヴィーザーは、マイヤーとフォン・デア・ミュールの双方から尋問されているあいだも、彼女に関する話が出ると、「彼女の役割の程度を」たいしたものではないように説明した。彼はこう述べている。美術館で盗みに行くときにはたいていアンヌ＝カトリーヌといっしょだったが、美術品を盗るときには彼女がそばにいなかったり、彼女がやめてくれと頼んでもその言葉に従わなかったりした、と。しかし、彼女は取り調べで、真実を曲げて話していた。どうやらすっかり神経が参ってしまったのか、なにひとつ知らなかった、と主張したのだ。

「わたしは彼が美術品を盗んでいたことすら知りませんでした」と警察に話している。屋根裏部屋に行ったこともほとんどありません、と。「家のなかのほかの部屋で過ごしていたんです」。その発言とは正反対のことを示すホームビデオを捜査官たちは問題視せず、ビデオは証拠として採用されなかった。

しかし、どうしてふたりの見方はそれほどまでに違うんですか、とフランスの捜査官が疑わしそうに尋ねる。

「わかりません」とアンヌ＝カトリーヌは言う。「とんでもない災難です」

捜査官はブライトヴィーザーに向かって、どうしてふたりの話が食い違うんでしょうね、と尋ねる。

少し考えてから、ブライトヴィーザーは計略を巡らせてこう応じる。「ぼくのせいです」。ふたりがしてきたことで思い違いをしているのはぼくのほうです、と。真実を話しているのは彼女のほうです。「アンヌ＝カトリーヌは共犯者なんかじゃありません。ふたりで美術館に行ったことはめったにありませんでした」

捜査官は拳で机を激しい勢いで叩く。ブライトヴィーザーは黙り込み、それ以上口を開かない。アンヌ＝カトリーヌのことは二度と話さなくなる。彼の弁護士も彼女の弁護士もこの証言記録を修正しない。

廊下に出ると、ブライトヴィーザーはアンヌ＝カトリーヌとふたりだけで話す時間がとれる。ふたりの顔は十センチほどしか離れていない。彼女はその腕を彼に押しつける。愛情を示そうとしたのかもしれない。あるいは調査官に対して策略を用いた彼に感謝しようとしたのか。ことによるとキスをしようとしたのかもしれない。しかしなにかをする間もなく、彼は引き立てられていく。

独房で、廊下での瞬間のことが何度も蘇ってくる。彼女の残り香も。彼女を愛しているのだ。これだけは確かだとわかる。十年もいっしょにいた。そしてこれからもふたりはいっしょに過ごしていくだろう。そう考えるだけで四回目のクリスマスを監獄で過ごしても心が温かくなる。しかしそれも、二〇〇五年一月六日にフランスの裁判が始まるまでだ。

スイスでの裁判と違い、今回は準備をしていたので、彼は手錠を掛けられてはいるが、灰色のイヴ・サンローランのスーツに青いシャツにネクタイのない姿でストラスブールの鏡板のある法廷に入る。法廷には少なくとも二十人の新聞社のカメラマンが、押し合いながら場所取りをしている。彼はアンヌ＝カトリーヌの姿を認める。父親も来ている。そして母親の姿もようやくわかる。母親は頭にスカーフを被り、サングラスをかけ、俯いている。視線を交わしたいと思うが、母親は顔を上げようとしない。

アンヌ＝カトリーヌが証人台に呼ばれる。証言するためではなく、真実だけを話すと宣誓するために。それでブライトヴィーザーは視線を母親からアンヌ＝カトリーヌに向ける。彼女は名前と生年月日を述べる。住所を述べる。それから、彼がこれまで知らなかった事実を付け加える。「わたしには一歳七ヶ月の男の子がいます」

ブライトヴィーザーの心臓は銃弾に貫かれて、動きが止まる。なんの反応もない。動けない。固まってしまう。いま彼女が述べたのは、彼が逮捕されて十ヶ月もしないうちに、だれかの子どもを妊娠した、という事実だ。

第35章

フランスの裁判では三人の証人のうち、最初に証言台に立つのは彼の母親だが、その証言は筋が通っていない。最初ステンゲルは、二〇〇一年に警官が国際捜査令状を持ってやってきたとき、息子が屋根裏に美術品を運び込んだことはない、と主張した。二〇〇二年に警察署で取り調べを受けたときには、息子が隠匿していた大量の作品を破壊したことを認めた。ところがいま二〇〇五年の証言台では、前に美術品を破壊したと言ったのはすべて脅迫されてのことだった、どんな作品も捨てたりしたことはないと証言した。

息子の部屋で油絵を見たことは一度もない、と彼女は誓った。絵を掛けるフックを取り外したり、壁を修理したりもしなかった。息子が屋根裏に住んでいたときにそこに足を踏み入れたことはなかった、なぜなら常に鍵が掛かっていて、自分はその鍵を持っていなかったからだ、と述べる。ところがしばらくするとステンゲルは、その屋根裏部屋に入っていくたびに、「あの美術品を見なければならないのがたまらなく嫌でした」と証言する。そのミスを取り繕おうとして、すべての作品は合法的にフリーマーケットで購入したものに間違いない、と言う。

ステンゲルの主張は混乱している。彼女は職もなく家もなく、取り乱し、怯え、怒りに満ちている。さらに踏み込んだことを述べるが、こちらの発言は短く、そしてはっきりしている。「息子が大嫌いです」冷ややかに断言する。

フランスの検察官はすかさず割り込んできて、ステンゲルは罪を認めているにもかかわらず謝罪の言葉を言わないことを指摘する。「彼女は文化遺産に対して想像を絶する、取り返しのつかない破壊をしたんですよ」と裁判長に向かって述べる。「この最悪な破壊行為の中心人物であり、いちばん責任を負うべき人物であるのです」

ステンゲルの精神状態の報告書が証拠として提出される。アンヌ＝カトリーヌを調べた心理療法士のセザール・ルドンドは、ステンゲルが「歴史的な貴重な作品を冷酷に破壊して、後悔ひとつしていない」ことは明らかだ、と述べる。ステンゲルは、自分が何をしたのか正確にわかっていた。どうして彼女は、そういった作品を警察に提出するという、単純で人道に則《のっと》った法的な手段をとらなかったのだろう。ルドンドはこれについて理解しようとした。ステンゲルのひとり息子に対する支配欲の強さには、きわめて複雑な愛憎が含まれている、とルドンドは感じた。ステンゲルは息子とのあいだに、息子と美術作品のあいだにあるような強い絆を求めている。スイスの心理療法士でブライトヴィーザーを診断したシュミットは、まったく同じことを述べている。

ステンゲルは美術作品を、息子の愛情を奪うライバル、彼の恋人よりも力のある競争相手と見なしていた。美術館にせよ屋根裏部屋にせよ、その作品が存在する限り、息子の心は魅了され続ける。それで息子が収監されて手出しができなくなっているあいだに、彼女はライバルをすべて排除したのです、とルドンドは言い、さらに、「息子にもっとも耐えがたい苦しみを与えることが最悪の罰だということが彼女にはわかっていました」と述べた。

検察官はステンゲルの矛盾した供述をすべて列挙し始め、ブライトヴィーザーは立ち上がって母親を弁護する。「母にひどい扱いをするのはやめてください」と怒鳴る。「母は美術のことなどなにも知りません。ぼくが作品を盗んだことすら知らなかったんです」ブライトヴィーザーは、母親が自分を憎んでいるといったことで激しく動揺しているが、母親への愛情が潰《つい》えることはない。「母はぼくにとってとても大切な人です」と言うが、裁判長は彼に、着席して口を閉ざすように命じる。

ステンゲルの弁護士は美術品については終始なにも言わず、ステンゲルが病院で働き、病気の子どもたちの面倒を見ながら、やっかいなひとり息子をひとりで育てた尊敬すべき女性であることを主張する。ステンゲルを投獄することは無分別なことであり、しかも残酷なことだ、彼女はすでに息子にひどい目に遭わされた犠牲者である、と。彼女は両手で顔を覆って泣いている。

彼女の弁護士の説明には罪を軽くする力があるようだ。ステンゲルは盗品に手を出し、公有財産を破壊したということで有罪になる――三年の刑期と相当額の罰金を受ける――が、実際に彼女が服役したのは四ヶ月に満たない。そして彼女の両親の家で八ヶ月の保護観察を受け、足首にモニターを着けられ、月曜日ごとに警察署に行き、チェックされることになる。

ステンゲルの後に、長いスカートを身に着けたアンヌ＝カトリーヌが証言台に立ち、なにも知らなかったという主張を押し通す。ブライトヴィーザーがこれまで聞いたことのないようなおどおどした声で、屋根裏部屋にルネッサンス期の作品があるだなんて気がつきもしなかった、と証言する。彼と車で遠出したことはない、彼の車のなかで美術品を見たことはない、ふたりは滅多にデートをしなかった、恋人というより知り合い程度だった、と。「彼のことが怖かったんです」とアンヌ＝カトリーヌは言う。いっしょにいると、まるで人質になったような気持ちがしました。「彼には絶えず苦しめられてきました」

ブライトヴィーザーが耐えることができたのはここまでだ。彼女の言葉を遮《さえぎ》って、逮捕される前にドミニカ共和国に休暇に行ったじゃないか、と喚《わめ》く。そのときに彼はカルティエの指輪を贈ったのだ。正式にプロポーズしたことはないが、そのときに婚約したものと彼は考えていた。この先もずっとふたりで暮らしていくものと考えていた。しかし法廷でベビーカーから赤ん坊の声が聞こえてくると、ブライトヴィーザーはそれが彼女の子どもであることに気づく。

「ぼくはきみの後ろにいる子どもの父親じゃない」と嫌悪を込めて彼が言う。

「あなたみたいな怪物の子をわたしが産めると思う?」と彼女は応じ、裁判官が静粛にと言う。

ブライトヴィーザーは、アンヌ゠カトリーヌが法廷で初めて残酷な真実を述べたことがわかる。彼女から怪物と思われていたのだ。そうであるなら、赦免に値するのは自分ではなく彼女のほうかもしれない。彼の怒りはたちまち雲散霧消し、この窃盗にはかかわっていないというアンヌ゠カトリーヌの主張を引き続き裏付けることにする。

フランスの検察官は率直に、アンヌ゠カトリーヌが嘘をついていることを指摘する。「私は彼女の偽証に呆れているところです」と検察官は述べる。「彼女はブライトヴィーザーとヨーロッパを縦横に移動しています。しかも彼といっしょに暮らしていた。盗みをするときには見張り役を買って出て、彼の行動を支援し、彼に助言し、ハンドバッグのなかに盗品を隠したりして、窃盗に加わっていたわけです」何人もの目撃者が、ふたりの姿を見たと報告している、と検察官は強調する。目撃者のうちのふたりは、絵画を盗んだ罪でいっしょに逮捕されさえした。しかしブライトヴィーザーの手助けもあり、アンヌ゠カトリーヌは窃盗と公有財産の破壊に関して罪を負うことはなかった。単に、盗品を扱ったという罪だ。検察官は、懲役二年の実刑を要求する。

アンヌ゠カトリーヌの弁護士エリック・ブラウンは、検察官の主張が正しいと認めながら弁護を展開する。ブラウンは、アンヌ゠カトリーヌの証言がすべて真実とは言えないかもしれない、と認める。しかし、人から虐《いじ》められたり殴られたりしてきた人物はそういうものではありませんか、と述べる。「彼女はこの若者にすっかり支配されていました。身動きがとれなかったのです。苦しんでいたのです。恐怖のなかで生きていました」いまや子を持つ母親です。そんな人物を刑務所に入れたいと本当に思いますか、と。

弁護士のみごとな弁舌のおかげで、アンヌ゠カトリーヌはこの事件から逃げることができた。刑務所に入っていたのは正確にはひと晩だけだ。ブラウンは彼女の犯罪歴から有罪決定を抹消させることとすら手配する。まるでブライトヴィーザーとの十年にわたる期間になにも起きなかったかのように。このおかげで、アンヌ゠カトリーヌはステンゲルとは違って、病院の仕事に戻ることができたが、支払い命令された罰金はその給料から引かれることになった。それでも、彼女は二部屋のアパートメントを手にいれ、子どもの父親とはもういっしょに暮らしていないので、子どもを託児施設に入れることができる。

ブライトヴィーザーは自分の母親とアンヌ゠カトリーヌのために、無理やりでも、真実とは異なる証言をしたが、フランスの裁判ではどちらの女性も彼に有利な発言をしない。彼は二年間の刑期を果たすべく、牢獄に戻される。教誨師が提供するどの講義——英語、スペイン語、歴史、地理、文学――にも出席するよう登録される。「代書人」の役を自分に課した、と彼は言う。収容者のために手紙を代筆するのだ。顎鬚《あごひげ》が伸びる。それから一年も経たない二〇〇五年七月、服役態度優良な受刑者として刑務所から釈放され、中間施設で残りの刑期を終わらせることになる。スイスとフランスで彼が収容された年月は、三年七ヶ月と十五日だった。

職が見つかれば平日に中間施設を出てよいことになり、彼は伐採作業者として雇われる。美術館でときどき重労働をしたことがあったが、肉体労働をするのは久しぶりのことだ。そして彼は、森で木を倒して働くことが不思議なほど好きになる。チェーンソーを手にした美術愛好家だ。週末には父親に会いにいくことを続け、四年ぶりに初めて母親と心の通じ合えるような話し合いをし、彼はたちまち泣き出して、なにもかも自分が悪いのだと言う。しかし、実際には、母親は息子に対してできうる限りの最悪なことをしたのだ。彼のもっとも愛した作品を破壊した。息子を裸に剝いて、泥棒だと公表した。しかし再会するとそうした感情的なもつれは消え、ふたりの関係がふたたび始まる。「母はぼくにキスをして抱き締めてくれ、わたしを許しておくれ、と言ったんだ。いつもそう言うんだよ」。ふたりは先の見えない人生を、またもやともに送ることになる。

ふたりのあいだに摩擦が起きるのは、彼が美術品のその後についてもっと詳しいことを、自分の知っている以上のことを話してほしい、と言うときだ。だれがその破壊に加わっていたのか。ほかに作品を捨てた場所はどこか。何を燃やし、何を燃やさなかったのか。どこで燃やしたのか。「この先も絶対にそれについて話すつもりはないの。だからもう二度と訊かないと約束して」と母親は言い、彼は約束する。

　中間施設から出てくると、彼は安いアパートメントを借りてひとり暮らしをするが、その家賃は母親が払う。伐採の仕事は冬が到来したときに終わり、配達業と床掃除の仕事を見つける。アパートメントには活気がなく、かろうじて刑務所よりましというくらいで、刑務所より悪いところもある。いまや好きなだけ部屋を飾りつけることができるのに、美術品がひとつもないことに彼はいたく傷つく。まるで盗みをしているあいだに百回も生きてきたような気がして、まだ三十四歳だというのに年老いて破滅したように感じる。

　三年間の保護観察が終わるまで、彼は美術館や、美術品を展示しているどんな場所であろうと出入りを禁じられ、アンヌ＝カトリーヌと連絡することも禁じられている。彼が話をできる相手はひとりもおらず、セラピストとの面談も拒否する。「迷子になって漂っている」ような気分だ、と彼は言う。彼女の新しい住所を見つけて、二〇〇五年十月に彼は自分の悩みを手紙に書いて彼女に送る。

「ばらばらになりそうです」と彼は綴る。「もう一度きみに会いたい。会いましょう。きみもうまくいっていないことは知っています。いっしょに散歩をして、新鮮な空気を胸に吸い込みましょう。そうすることがふたりにとってよいことなんです」。そして、彼の母親が子どもの面倒を見られるでしょう、と付け加えている。

その返事は保護観察官からもたらされる。手紙を受け取るとすぐにアンヌ＝カトリーヌは警察に連絡し、保護観察の条件を破ったということで彼は刑務所に戻され、十五日間服役する。独房で、彼は激怒する。「檻に入れられたライオン」のように、窓を拳で叩き、その激しさで窓ガラスが割れ、拳の皮膚が裂ける。彼の情熱がアンヌ＝カトリーヌに対してのものなのか美術品に対してのものなのか、とにかくその情熱を追い求め続ければ、悲しみばかりが大きくなっていくだけだ。生き延びるための唯一の方法は、アパートメントにひとりで身を潜めていることなのだと思う。深く傷ついた手は何針か縫わなければならず、彼女との関係はついに終わりを迎え、それが彼に永遠に消え去ることのない傷を残す。

第36章

「彼女の人生にとってブライトヴィーザーとの出会いは最悪の不幸な出来事になるでしょうが、それだけのことです」と、アンヌ＝カトリーヌを投獄から救い出した弁護士エリック・ブラウンは言う。彼はこの裁判のためにアンヌ＝カトリーヌと何ヶ月も準備し、かかわりのある私生活のことまで話し合い、ブライトヴィーザーとふたりでいるときにどんなだったか、屋根裏部屋の美術品はどういう状態であったか聴き取った。ブライトヴィーザーは怒りっぽく、いっしょにいるのは難しい相手だった、とアンヌ＝カトリーヌは言った。「でも、こうしていま彼女は自分の人生を穏やかに送ることを望み、彼のことを忘れたいと思っているんですよ」と彼女の弁護士は言う。

穏やかな生活という部分は確かに成し遂げられた。彼女のアパートメントはミュルーズ郊外の活気のない村のなかだ。購入には十万USドルかかり、二十二年の住宅ローンを組んだ。新しい場所は、かつて両親といっしょにいたアパートメントと同様に、美術品を探している警察に捜査されたが、なにひとつ見つからなかった。彼女は二〇〇三年に生まれた息子を大事に育てている。ミュルーズにある病院で仕事を続けている。二度と逮捕されることはなかった。彼女はテレビでこの事件のことを話したことはなく、有名になりたいとも、悪名を馳せたいとも思ってはいない。これまでのところ、ブライトヴィーザーともその母親とも連絡を取ったことはなく、結婚したことも、ほかの子どもを産んだこともない。

アンヌ＝カトリーヌはブライトヴィーザーと似た、内向的なタイプで、彼と何年も隠遁したような生活を送った後も、似たような暮らしを続けているらしい。ブラウンは、彼女が今度こそ心の平安と幸せを見つけたと信じている。

一九九一年の誕生日のパーティで二十歳のふたりが出会ったときから、二〇〇五年に彼女に手紙を送って罰せられたときまで、およそ十五年が過ぎた。ふたりは青春時代の盛りをともに過ごしたのだ。ヨーロッパ中を車で走り、屋根裏部屋を高価な品々で満たし、彼女はほとんどなんのお咎めもなくこの出来事を乗り切った。これは奇跡に近い。ボニーとクライドはルイジアナで銃弾に斃《たお》れた。二十三歳と二十五歳だった。

「アンヌ＝カトリーヌはこの一ページ目をめくったら、きっぱりと忘れることを望んでいただけです」とブラウン弁護士は繰り返す。

彼女は安ホテルの部屋のベッド脇のテーブルにルネッサンス期の銀製品を積み上げていた。バッグのなかに盗品の傑作を入れて美術館のカフェで食事をした。夜明けのモン・サン・ミッシェルを眺め、アルプス山脈の高地で日没を見つめ、シャルトリューズ城のステンドグラスの窓を仰ぎ見た。両手で額縁のないクラナハの絵を持った。そしてブリューゲルも。『アダムとイヴ』も。彼女は泥棒を愛してしまった。多くの美術館で警備員の動きを見張り続けた。世界でもっとも大きな美術窃盗の騒動のひとつに参加していた。アリ・ババの洞窟に暮らし、そこの四柱式ベッドで眠っていた。そのことを認めようとはしないが、なにひとつ忘れられるものではない。注目されることを避けているだけなのだ。

第37章

「わたしはあの人に心の底から愛されていたわけではありません」スイスの美術犯罪捜査員フォン・デア・ミュールに取り調べられたとき、アンヌ＝カトリーヌは一度そう述べた。「わたしはあの人にとって一個の品物に過ぎなかったんです」。ブライトヴィーザーは、アンヌ＝カトリーヌはその言葉を本当に信じているわけではない、と述べている。彼女は彼が心から愛しているのを知っていた。そんなことを言ったのは警察から圧力を掛けられていたからか、警察を欺こうとしたからにほかならない、と。二〇〇五年の後半、彼は、最後の手紙をアンヌ＝カトリーヌに送り、もう一度会ってほしいと必死で頼んだとき、彼女が戻ってくるものと思っていたようだ。

彼の母親の友人が、ステファニー・マンジャンというアンヌ＝カトリーヌと同じ看護助手

――同じ病院ではない――をしている女性を紹介する。アンヌ＝カトリーヌとよく似た顔立ちで、小柄で明るい色の髪をした魅力的な人物だ。ブライトヴィーザーが言うには、初めてステファニーと出会ったとき、ふたりはたちまち意気投合した。踊る相手が決まり、ファーストネームですぐに呼び合う仲になった。「ステファヌとステファニーって、美しい組み合わせだろ」。アンヌ＝カトリーヌがもう二度と彼に会おうとしないことがわかって独房の窓を殴って割ってからひと月後、ブライトヴィーザーはストラスブールのステファニーのアパートメントに引っ越す。

「彼女はぼくの信頼できる人であり、愛する人であり、ぼくの人生の唯一無二の大切なものだ」とブライトヴィーザーはステファニーのことを言い、このとき初めて彼はしばらくのあいだ未来に対して希望を抱く。

彼はまた、十万ドル以上の思いがけない大金をフランスの出版社から支払われる。ゴーストライターに十日間の取材をさせて本を出す許可を与えたのだ。このゴーストライターはこのとき、彼が自分の犯罪を自信満々な口調で語る構成にし、ブライトヴィーザーの名前と、青く澄んだ目をした彼の見映えのいい写真を表紙に使うつもりでいた。ブライトヴィーザーは、この本『美術品泥棒の告白』がフランスとドイツで出版され、宣伝がゆきわたれば、新たな人生を保証してくれるはずだ、と考えていた。

彼の計画というのは、その本の最後の章で語られていることをまとめると、コンピュータのハッカーがサイバー犯罪防止の専門家になるように、美術防犯コンサルタントとして身を立てることだ。美術館や画廊、コレクターといったクライアントに簡単で経済的な警備方法を提案し、時代遅れの展示ケースを置き換えることや、展示会で人感センサーを設置すること、壁から絵画を外せないようなブラケットを取り付けることなどを教示する。『告白』の本からの印税がその前払金《アドバンス》を超え、コンサルティング業務が引く手あまたになれば、罰金を払うこともできるし、美術界で敬意を払われる仕事ができ、保護観察官もきっと許してくれる、という未来を思い描いた。

「自分の好きなことをして生きていくんだ」と彼は言う。「美術のことをぼくはよく知っているし、警備についても詳しい。どんな施設や美術館にも手を貸す準備はしている」。彼は、ステファニーにプレゼントを次から次へと贈る計画も立てる。彼はこの本を彼女に捧げるつもりでいる。自分の人生はようやく順調に進んでいく、と彼は思う。パリの出版社が飛行機のチケットを買ってよこしたので、ストラスブールからパリへ行く。もう車の運転ができないからだ。出版社と会い、メディアの取材ツアーについて話し合う。ようやく敬意を持って遇される、これで有名になる、心から望んでいた感情が味わえる。もしかしたら、映画も作られるかもしれない。

二〇〇六年六月二十九日にオルリー空港に降り立つ。この本が金をどっと生み出すのだ。ステファニーの誕生日が近づいてきているので、空港から目的地に向かう途中のブティックで足を止める。警備コンサルタントの職業について考えながら、「二秒だ」と見る。このブティックはお粗末なまでに警備が手薄すぎる。防犯カメラもない、警備員もわずかだ。奇妙な衝動がうずく。「筋肉の記憶」だ。そして彼はステファニーにプレゼントするためにカルヴァン・クラインの白いズボンと、ソニア・リキエルのTシャツを選び、それをキャリーバッグのなかに押し込む。ブティックをゆっくりと出ていく。

そのとき、新しい衣類を身に着けて出版記念ツアーに出たらどんなに素敵だろうと思う。それに、父親にも、これまでの耐えがたい年月のあいだずっと支援してくれたことへの感謝の気持ちとしてなにかプレゼントしたい。ブティックを出てから一分も経たずに彼は踵《きびす》を返して店に戻る。そして合計千ドル分の七着の衣類を選んで店を出る。出版社と打ち合わせをするためにタクシー乗り場へ向かう。

ブライトヴィーザーはブティックの警備員の数について大きな間違いをしていた。美術館の警備員とは違い、ブティックなどの警備員は一般買物客と同じ格好をしている。その警備員たちが店を飛び出して彼に飛びかかってくる。そして彼は手錠をはめられて警察署に連行される。勾留されているあいだ、出版社は彼と連絡がとれずに心配し、母親に連絡する。ステンゲルは衝撃を受け、さまざまな病院に電話をかけまくる。父親とステファニーは彼を見つけ出そうとする。ブライトヴィーザーはその夜は拘置所で過ごし、外部と連絡できない。「我が身を呪い、恥ずかしくてたまらなかった」と彼は言う。

真実が暴かれると、父親は彼に電子メールを送る。「おまえは本当になんにもわかっちゃいない」と激昂してタイプし、その後間もなく、面会日を延期するようになる。そうやって父親は彼の人生から再び退場した。額縁職人のメイヒラーが法廷でブライトヴィーザーの味方をしたのは、彼の窃盗人生が終わったものと信じていたからだ。「裏切られたような気持ちだよ」とメイヒラーはブライトヴィーザーに伝え、ふたりの友情は終わる。

母親はこれまでどおり、息子を許す。そしてセラピストと会うと彼が約束すると、ステファニーも彼のもとに留まる。衣類の窃盗の法的な罰は軽く、一日の勾留と、アルザスにおける三週間の公共奉仕作業で、市の倉庫の清掃を引き受ける。出版社に前払金を返さずにすむが、二〇〇六年十月に出版された本はひどい扱いを受ける。ほとんどすべての宣伝広告が嘲《あざけ》りの対象となり、否定的に受け取られる。「負け犬の話など意味がない」というのが、あるテレビのトーク番組での批評家の発言だ。防犯コンサルタントになるという考えを冗談だと思わないのはブライトヴィーザーだけだ。

フランスの美術ジャーナリスト、ヴァンサン・ノスはスイスとフランスの裁判所に通って一連の裁判を傍聴してきた人物で、今回の事件について『自分勝手なコレクション』という題の本を出版する。この本はドイツ語でもフランス語でも読めるが、ブライトヴィーザーのことを冷酷に描き、彼の発言はすべて不誠実なものだと述べている。ブライトヴィーザーの美術への感受性ですら、自分を偉く見せようとした行為にすぎないと考えている。「彼がその人生でやろうとしたことはすべて、自分がいかに重要な人物であるかを母親に見せつけるためのものだった」とノスは言う。ノスは、ブライトヴィーザーが本当にルネッサンス期の美術が好きだったかどうか、はなはだ疑問だ、と思っている。その時期の美術品が単に盗みやすかったからではないか、と。ノスは彼の犯罪を「ナチス以来もっとも大量な美術品略奪」と評している。

ブライトヴィーザーはノスの言葉に面食らって、ノスに脅迫状を送る。刑務所で知り合ったロシアの暴力団に頼んでおまえを痛い目に遭わせてやる、と。この無謀な発言はノスの本の宣伝に使われ、ブライトヴィーザーは精神的に不安定なペテン師のチンピラである、というノスの主張を裏付けた格好になった。ブライトヴィーザーに防犯上の助言を求める美術館などひとつもない。

彼は疲れ果てて意気消沈し、ステファニーのアパートメントに引きこもる。贖罪の機会を台無しにしたばかりか、犯罪歴のせいで最低賃金の職ですら探しにくくなる。日曜日にレストランのトイレを掃除する仕事に就く。しだいに人に知られて、通りから見つめられるようになり、かつてのように人の目をごまかすために変装するようになる。そしてめったに外出しなくなる。ステファニーの部屋の壁にはなにもなく、気分は滅入ってくる。この苦しみを癒やすためにできることはなにもない。ステファニーといっしょにいても、陰鬱な気分が戻ってくる。世界は生きる価値がない。だれも美を理解していない。そしてまもなくあらゆるものが沸点に達する。

彼はベルギーまで、母親が買ってくれた車を飛ばす。二〇〇九年十一月、ブリュッセルの近くでアンティーク・フェアが開催されている。そこで冬の景色が銅板の上に描かれた油絵を目にする。十七世紀の画家ピーテル・ブリューゲル（子）の絵だ。五千万ドルは下らない。このフェアは夜間には閉まるので、従業員たちは片付けを始めている。彼は自分の衝動を抑えようとすらしない。新たな恋人と仲良くするにはブリューゲルが必要だ。手に入れたらきっと気分もよくなるに違いない。

そしてそうなる。ブリューゲルの絵をステファニーの寝室に掛けると、たちまち歓喜し、心配事も罪悪感もなくなった、と彼は言う。息も楽にできる。生き返った。もっと盗みができたらいいのに、と思う。「美しい作品が一点あるだけで、なにもかもが一変する」と彼は言う。

ブライトヴィーザーが自分の人生に入るのを許した数少ない人々――母親、父親、祖父母、メイヒラー、アンヌ＝カトリーヌ――は、彼の窃盗に対して奇妙なほど寛大な対応をしてきた。あたかも、彼のように美術に心を奪われた人が窃盗行為をするのは仕方のないことででもあるかのように。「この人たちのなかに、大人の人間がいないのです」とジャーナリストのノスは言う。「だれひとりとして彼に、『やめなければだめだ、作品を返すんだよ、大人らしい行動を取りなさい』と言わなかった。それが彼をこんなにしてしまった原因のひとつだと私は思っている」

大半の人々は絶対に、美術犯罪を大目に見たりはしない。ブライトヴィーザーはそのことをすっかり忘れているのかもしれない。彼の盗みが発覚したときのステファニーの反応は、アンヌ＝カトリーヌとは違っていた。彼がステファニーに、ブリューゲルを手に入れた経緯《いきさつ》を伝えると、彼女は狼狽する。しかも部屋の壁に掛かっている高価な絵を盗んだのは、刑務所から釈放されたばかりの有名な美術品泥棒なのだ。彼女は共犯者になってしまった。図々しくも自分をそんな立場に陥れた彼を見て、ステファニーはようやくはっきり悟った。彼は変わるつもりはないのだ、と。

ステファニーは関係を断ち、彼をアパートメントから追い出すが、その前に携帯電話でその絵の写真を撮る。その写真を警察に見せる。警察はブライトヴィーザーとブリューゲルの絵を捜査し、ストラスブールのレンタル・ルームで見つけ、ブライトヴィーザーは逮捕され、再び刑務所に入れられる。

第38章

またもや裁判が始まり、またもや有罪の判決が出て、刑務所に入り、保護観察になる。ブライトヴィーザーがようやく刑罰の仕組みから自由になるのは二〇一五年、四十四歳のときだ。目のまわりには皺《しわ》ができ、頭髪の生え際は後退している。母親が買ってくれた車を含むわずかな資産は没収されている。彼の銀行口座には五ユーロと五十二サンチームしかない。およそ六ドルだ。たとえ金があったとしても、犯罪歴のせいで賃貸物件を手に入れることはできない。

母親は息子の代わりに契約し、彼の祖父母の農家のそばにある小さな家を借り、家賃を肩代わりする。ときどき食品を携えてその家に立ち寄り、冷蔵庫に品物を入れる。ステンゲルはその農家を管理し、母親の介護をしている。彼女の父親、つまりブライトヴィーザーの敬愛する祖父はすでに死亡している。幼いころに彼といっしょに「遠足」をし、彼が地面を掘るあいだ杖で指示を出していた人だ。ステンゲルは息子にもう一台車を買い与え、彼はお昼を食べに毎日のように祖父母の家に行く。それ以外のときには食事をせずに一日を過ごす。唯一の収入は政府の援助だ。そして月に五十ドルという名ばかりの給付金は、最初の裁判所が決定した罰金を払うために手元には残らない。

「ぼくのやりたいことは車に乗って山に行って、ひとりで散策することだ」と彼は言う。廃墟となった砦《とりで》まで行き、マッシュルームを収穫する。ほかの日には映画に行き、入れ替え時にはトイレに隠れ、一枚のチケットで映画を二本分観る。本はもう読まない。「ぜんぜん面白くない。縁を切ったも同然だよ」

アパートメントには、クラナハの作品『クレーフェのジビレ』の複製画が掛かっている。彼の二十四歳の誕生日にドイツの城に行き、母親がダックスフントを外で散歩させているあいだに盗んだものだ。この『ジビレ』と『アダムとイヴ』の像は愛してやまない作品なのだとブライトヴィーザーは言う。しかしこの『ジビレ』の複製画は少しばかり彼を悩ます。この絵を見ると、炎のなかで灰になった本物の絵のことを思い出すからだ。彼は二度と美術館には行かない、と主張する。「思い出がありすぎるからね。いにしえの悪魔を目覚めさせたくないんだ」

いまも続く美術の世界との繋がりは、オークションのカタログを通したものだけになった。

カタログを見るのは、失ってしまった自分のコレクションがひとつでも出てくるかもしれないという儚《はかな》い希望を抱いているからだ。彼の盗んだ美術品で判明しているのは、運河やほかの場所で発見されたものや、燃やされてしまった絵画や木製のオブジェがあるが、それでもまだ八十点ほどが行方不明になっていて、その半分は銀製品だ。行方不明の作品は、絵画や木製の品ともども、盗まれた美術品の国際的データベースにいまも登録されている。灰の山や欠片《かけら》などはなにひとつ見つかっておらず、二〇〇一年以降、絵画や彫刻も見つかっていない。

それらの作品における窃盗の出訴期限はすでに切れている。しかし、彼の母親は、最後の八十点の行方に関する話題が出ても、だれにも侵せない堅牢な要塞のままだ。「母は墓場までこの秘密を持っていくつもりですよ」とブライトヴィーザーは言う。彼女のかつての恋人も、たとえ彼が何かを突き止めても、喋ることはないだろう。美術品が破壊された夜のことが、ふたりの関係が壊れたことに関係しているのかどうかもわからない。失われた作品がオークションに登場したことを彼が目にしたことはなく、それは警察も同じだ。

アンヌ＝カトリーヌが八十点の作品の行方を知っているかもしれない、と彼は思う。彼のアパートメントはインターネットに繋がっていないが、祖父母の農場では繋がっているので、フェイスブックのアンヌ＝カトリーヌのアカウントを見つける。彼女が働いている様子や息子を育てている様子を見る。もう一度だけ彼女に会いたいと思うばかりだ。一度は、賢明な判断をして彼女をそのままにしておく。彼女にメールを送らず、自分のアカウントを削除する。二〇〇五年に彼女に最後の手紙を出して以来、アンヌ＝カトリーヌと連絡を取ったことはなかった、と彼は言う。彼女が美術品の行方を知らないという証拠はない。「謎のままにしておかなければならないものがあるんだ」と彼は肩をすくめる。

彼はさらに一年を無駄に過ごす。稼ぎのないまま、何かをする見通しもないまま、二〇一五年が一六年になる。「自分を壁のなかに閉じ込めてきた」と彼は言う。ようやく、自分にはたったひとつのことしかない、ということを受け入れる。そう思った瞬間にたちまち自由な気持ちになる。まだ窃盗に入っていないアルザスの美術館を車で廻る計画を立てる。ストラスブール北部にある考古学博物館で、彼は紀元後三世紀か四世紀のローマ時代の硬貨を五点盗んでポケットに入れる。金細工が施された真珠のイヤリングも。クリスタル美術館ではペーパーウェイトを二点奪う。ストラスブール南部の別の美術館では、トロイ戦争の一場面を、トネリコとローズウッドと樅《もみ》で象眼した見事な細工を盗む。その近くにあるフランスの村からいくつかの品物をつかんでくる。ドイツではもっとたくさんのものを盗む。

そのどれも、彼が愛する作品ではない。「盗《と》るのが簡単だから盗んだんだ」とブライトヴィーザーは言う。それからもうひとつの理由も述べる。「金がほしかったからね」。彼は農場のインターネットを使ってｅＢａｙ〔オークション・サイト〕で、いつも偽名で盗品を売買する。いきなり収入が増えていく。いろいろな銀行口座に入った何万ドルにも及ぶ金額を、差し押さえられないうちに現金に換える。この技術は刑務所に入っていたときに収監者たちから教わったものだ。

だからこそ、教えてくれた人々は収監されていたのかもしれない。フランスの美術犯罪捜査班に、盗品を安い値段で売っているという情報をこっそり漏らす買い手が現れる。それでずっとブライトヴィーザーを注意深く見守ってきた捜査官たちは、彼の電話を盗聴し、銀行口座とインターネットの履歴を監視する。ようやく彼のやり方が見えてくる。ブライトヴィーザーはほかの美術窃盗犯と同じ人間になったのだ。二〇一九年二月、警察はブライトヴィーザーのアパートメントを強制捜査し、彼を逮捕する。しばらく拘置所に入れられ、裁判を待ち、新型コロナウイルス感染症が蔓延し始めて、彼は自宅監禁に移される。

美術品と文化遺産の窃盗犯に厳しい罰を科する新しい法案が、何年か前にヨーロッパとアメリカ合衆国で議会を通過した。新しい法が施行され、ブライトヴィーザーの最近の美術犯罪と盗品売買に対する刑罰によれば、彼は六十歳になるまで刑務所に入れられたままか、保護観察に付されるかになる。彼は、この先自分が結婚したり、子どもを育てたりすることはないだろう、と言う。「おそらく、道端の掃除をしているよ」

ところが彼は、人生でもっとも激しく衝撃的な出会いをする。二〇一九年に逮捕される数ヶ月前のことだ。ベルギーのルーベンス・ハウス博物館のパンフレット――パンフレットを眺める習慣は身についたままだ――を見ているときにその邂逅は起きる。そのパンフレットを覗きたくはなかったが、覗いてみる。そこに、『アダムとイヴ』の小さな写真があった。背中を向けているが明らかにその写真だ。彼は震える。思いとどまる。それからいつものように、頭から離れなくなる。

五時間をかけてアントワープまで車を飛ばす。いつものように変装し、野球帽を被り、眼鏡をかけ、チケットを現金で買う。二十一年ぶりに、ルーベンス・ハウス博物館のなかに入る。なにもかもが以前のままで、時間が止まっているような気がした、と彼は言う。彼はルーベンスのかつての厨房を通り、住居の区域へと進み、奥にある小部屋に行く。プレキシガラスの展示ケースは前より頑丈にできていて、室内にはたくさんの防犯カメラが設置され、警備員も前より多い。

両膝に手を置き、鼻先がケースに触れるほど前に体を傾けて象牙の様子を丹念に見る。『アダムとイヴ』は、運河に沈められていたときの汚れはなく、悪くはないように見える。蛇は相変わらず知恵の樹に体を巻き付けていて、初めての男と女が官能的であることは間違いようがない。イヴの髪は渦巻くようにして背中に流れている。ブライトヴィーザーの目が大きく見開かれる。額に皺が寄る。まるで、死んだ人間がいままた生き返ったのを目撃しているような感じだ。何年にもわたって、彼は四柱式ベッドから手を伸ばしてこの『アダムとイヴ』を抱き締めた。彼にはこの博物館で騒ぎを起こすつもりはない。それでその部屋から急いで出て、博物館の庭へ入っていく。

中庭は閑散としている。男女ふたりだけが歩いている。大気は暖かく、もうじき春だ。ブライトヴィーザーは、敷き詰められた薄青い玉石の上をぎこちない足取りで歩く。壁に這《は》う藤は新しい芽を伸ばしている。この庭に最後にいたとき、あの象牙の像が上着の下にあった。今回は頬を涙で濡らしながら、失われた年月を悼んでいる。盗みをしていたときにはそんなことはなかった。盗みをやめてからはよく涙がこぼれる。いまになってようやく気がつく。こうなってみれば後の祭りだが、その当時は知りようもなかったのだ。最初にここを訪れたときが、彼の人生でもっとも輝いていた時期だったことを。絶頂期であったことを。車の窓は開けられ、トランクのなかには象牙の像があり、ふたりは若く意気揚々としていた。そうやってアンヌ＝カトリーヌと車で家に帰ったときよりも素晴らしい瞬間はもう二度と来ることはないのだ。

ブライトヴィーザーは言う。あの四柱式ベッドにのんびりと横たわっていると、ときどき最期の瞬間を夢に見ることがあった。ぼくが集めたすべての美術品に囲まれて、美しいものに満たされた部屋で、息を引き取るのだ。ぼくが死んでも、ぼくの作品は――彼はいつも盗んだ美術品を自分のものだと考えていた――生き続ける。しかし、彼はなにごとも度を越してしまい、母親にアルザスの森のなかで絵を燃やされてしまった。「かつてぼくは宇宙の支配者だったのに。いまは何者でもない」と彼は言う。

彼はギフト・ショップの前を通ってルーベンス・ハウス博物館の出口に向かう。ギフト・

ショップにはこの博物館のコレクションの主要な作品を載せたパンフレットが売られている。そのパンフレットには、この象牙の像は盗まれたが返還されたという記述とともに、『アダムとイヴ』の全ページ大の写真が載っている。この写真を額に入れて飾ることもできるかもしれない。写真なら彼を悩ますことはないだろう。しかしブライトヴィーザーには現金もなければ職もない。ここまでやってくるために、母親からガソリン代をもらった。習慣から、彼は土産物売り場のレジ係、警備員、来館者の位置を記憶に留める。防犯カメラがあるかどうかチェックする。カメラはない。それから彼は四ドルのパンフレットを手に取り、出口から出ていく。

謝辞

以下の方々に心から感謝する。

私のルーヴルであるジル・バーカー・フィンケル

私の小さなポンピドーであるフェーベ・フィンケル、ベケット・フィンケル、アリックス・フィンケル

特殊な驚異の部屋であるステファヌ・ブライトヴィーザー

主任学芸員であるアンドリュー・ミラー、スチュアート・クリチェフスキー、ポール・プリンス、ゲイリー・パーカー

鑑定人であり美術愛好家であり目利きであるみなさま

ビル・マギル　マイク・ソタック　イアン・テイラー　ジェフリー・ギャニオン
ローレンス・ブライ　ジャンヌ・ハーパー　アダム・コーエン　レイチェル・エルソン
ブライアン・ウィトロック　アビー・エリン　ダイアナ・フィンケル　ミシェル・ブノア
ライアン・ウェスト　ベン・ウッドベック　ラリー・スミス

ランドル・レーン　アラン・シュワルツ　マーク・ミラー　ポール・フィンケル
ライリー・ブラントン　ロレーヌ・ハイランド　ティアラ・シャルマ　サラ・ニュ
ー　チップ・キッド　エミリー・マーフィー　ポール・ボガーズ　マリア・マッ
シー　クリステン・バース　ローラ・アセルマン　マリア・カレッラ　キャシー・
フーリガン　アエミリア・フィリップス　アン・アシェンバウム　ジェニー・プー
シェ　ソニー・メータ　リーガン・アーサー

初期印象派のみなさま

ヴァンサン・ノス　ジャン＝クロード・モリゾー　アレクサンドル・フォン・デア・
ミュール　ロラン・マイヤー　ノア・チャニー　エリック・ブラウン　ラファエ
ル・フレシャール　ダニエル・シュヴァイツァー　クリスティン・エリングセン
エリン・トンプソン　ナタリー・カシニク　マット・ブラウン　ジュリアン・ラド
クリフ　ジェニア・ブラム　イヴ・ド・シャズルヌ　アンヌ・カリエール　マリオ
ン・ヴァール　アンドレア・ホストマン

美神と聖像とおとり捜査官のみなさま

トニ・ソタック　クリス・アンダーソン　マリオン・デュラン　ダーダ・モラビア
アディ・バクマン　フリッツ・バクマン　ボビー・スモール　ベス・アン・シェパ
ード　クリストファー・マラトス　シンディ・スチュワート　ライアン・スチュワ

ート　ダグ・シュニッツスパーン　ゲイリー・ハワード　レスリー・ハワード
ティリー・パーカー　ジョン・ビョルス　ブレット・クライン　クリストフ・ニー
ル　アーサー・ゴールドフランク　タラ・ゴールドフランク　H・J・シュミット
ジュリー・バランガー　モハメド・エル＝ブアルファウイ　パティ・ウェスト　バ
ーバラ・シュトラウス　ティム・トーマス　スコット・トンプソン　マックス・ラ
イヘル　ケイト・レール　クリスティアン・メイヒラー

出版のための覚え書

ステファヌ・ブライトヴィーザーの過去を断続的に調べているうちに、十年以上の月日が過ぎた。彼に最初にインタビューをしたのは二〇一二年のことで、『美術品泥棒の告白』という彼の本の出版社を通して個人的な手紙を送ったのがきっかけだった。その当時、ブライトヴィーザーは六年間以上ジャーナリストの取材を受けていなかった。ましてやアメリカ人に取材を許可したことなど一度もなかった。

手紙を出してから二年以上が過ぎたときに短いメモが届いた。何を知りたいのか、と青いインクで書かれていた。手紙のやりとりをするあいだに、私は妻と三人の子どもとともにモンタナ州の山奥からフランス南部へと引っ越していた。この引っ越しはブライトヴィーザーとはまったくかかわりがなく、別の文化と言語を学びたくて長いあいだ夢見ていたことだった。モンタナの住所に送られていたブライトヴィーザーの返事は、私の郵便物をまとめて送ってくれる友人のおかげで、大西洋を越えてフランスの自宅まで届いた。ブライトヴィーザーと何度か手紙のやりとりをするうちに、わずかだが親しみのこもった文章になっていった。

私が初めて手紙を送ってから四年半後の二〇一七年五月、ブライトヴィーザーはとうとうランチをいっしょにすることに同意してくれた。ただし、自己紹介がてらの会話をするだけで、ノートも録音機も禁止するということだった。私は北部マルセーユから高速鉄道に乗って四時間をかけてストラスブールへ行った。それからレンタカーを借り、アルザスの豊かな緑の丘のなかを走っていった。道沿いにある農場でサクランボを買って食べながら、サヴェルヌの古いローマ風の町へ向かった。ブライトヴィーザーの提案で、私たちは一六〇五年に漆喰と丸木で建てられた古い立派なレストラン「タヴァーン・カッツ」で落ち合うことにした。店内には地元の美術品がたくさん飾られていた。私たちはフランス語で話をした。

ブライトヴィーザーは初めは物静かで用心深かった。隣り合ったテーブルの人たちが私たちの会話を盗み聞きしている、と彼が言うので、当たり障りのない話題ばかりを選んで話すことにした。彼の好きなハイキングの小径、私がこれまでに取材して記事にした人物のこと、面白く観た映画のことなどだ。しかし、ビーフとポークとマトンと馬鈴薯を煮込んだ伝統的なシチューを時間をかけて食べ、コカ・コーラを何杯か飲むうちに――彼がアルコールを飲むのを見たことがない――彼はしだいに警戒心を解いていった。最終的に、正式なインタビューを何度か受けることに同意してくれた。秘密を守るために、彼は私のホテルの部屋で話すことを提案した。

彼が私の宿泊している部屋に入ってくると、まずは壁に掛かっている絵画を丁寧に眺めた。その作品のすぐ前に立ち、目を見開き、額に皺《しわ》を寄せた。私がこの後よく見るようになる表情だ。彼には自分の犯罪の詳細について驚異的な記憶力と、美術に関する独学による広範な知識があった。

私のホテルの部屋に掛けられていた無署名の彩色画を見て、「これはジャン・ティンゲリーの絵だね」と言ったことがある。彼は鼻に皺を寄せた。「好きな作風じゃないな」

その名前を知らなかったので、私はラップトップ・コンピュータを開いて調べたところ、彼の指摘した通りだった。ティンゲリーは二十世紀のスイスの画家で、動く彫刻で有名だ。私はコンピュータを閉じると、ほかに調べたいことが出てきたときのために、それを机の上に置いたままにした。それからインタビューが始まった。部屋は狭く、椅子は一脚しかなかった。その椅子にブライトヴィーザーが座り、私は自分のトランクをスツール代わりにして座った。ふたりのあいだに机があった。

インタビューのあいだ、普段なら私は相手の目を見つめ、会話は録音機に記録させておくのだが、今回は身振り手振りや表情といった音声だけではつかめない部分をノートに取ることにした。人が近くにいるときに素早く美術品を盗む方法についていろいろ質問をし、それがどんな技なのか想像もつかない、と私が言ったとき、彼は会話を中断して「なるほど、それじゃあ、気づかなかったんだね？」と言った。

「気づかなかったって、何を？」

「今ぼくがしたことを」

「さあ、わからないな」と私は答えた。「なにをしたんです？」

「まわりを見てみなさいよ」と彼は言った。

狭苦しいホテルの部屋には変わったことはなにもないように見えた。「申し訳ない、なんのことかわからないんだけれど」と私は言った。

ブライトヴィーザーが椅子から立ち上がってこちらに背中を向け、ボタンダウンのシャツをたくし上げた。腰のくぼみのところ、ズボンのウエストバンドに半分隠れるようにして、私のラップトップが挟まっていた。彼は、私がメモを取るためにノートに一瞬目を落とした隙にラップトップを素早く取って隠したのだが、私はなくなっていることにまったく気づかなかった。彼の盗みの技術を目の当たりにしたのだ。

結局私は、三日にわたる取材で、ブライトヴィーザーとともに四十時間を過ごした。その間インタビューをしたり、かつて彼が作品を盗んだ美術館や教会をいっしょに訪れたり、長い散策をしたり、まるまる二日車での旅行をしたりした。そのうえさらに、二〇二三年、盗品を売りさばいた罪で起訴された彼の直近の裁判を傍聴した。私が最初に手紙を送ってからちょうど十一年が経っていた。二〇一八年三月には、ともに八百キロメートルを車で旅してベルギーのルーベンス・ハウス博物館に行き、『アダムとイヴ』を観た。母親からガソリン代をもらって彼がここに来たのは二十一年前のことになる。ルーベンス・ハウス博物館のギフトショップから彼がパンフレットを盗んだとき、私はその場にいたのだ。

その長旅のあいだ、ベルギーに向かう途中でトイレ休憩のために高速道路のサービスエリアに入った。男性トイレの入り口は回転式で、トイレに入るには七十サンチーム（一ドル以下だ）を払わなければならないが、使えるのは小銭だけだ。サービスエリアは人でごった返し、人々は出たり入ったりしていた。私がポケットを探って小銭があるかどうか確かめていると、ブライトヴィーザーが完璧なタイミングで回転式入口の下を器用にかがみ込んで通り、向こう側に立っていた。電光石火の動きだった。バレエダンサーのような素早い動きだった。私以外にそれに気づいた者はひとりもいないようだった。

ブライトヴィーザーは私のほうを振り返ると、首を素早く回して、回転式入口の下を通ってくるように合図した。そうしたかったが、くぐってもそのままはまり込むか、大騒ぎになるか、あるいはサービスエリアのトイレに忍び込もうとして情けなくも捕まることになるかするだろうと思った。私はそんなことをする勇気がなかったのだが、このときようやく、美術館でこうした動きをすることがいかに多大な危険を伴うかがわかった。小銭が足りなかったので、ブライトヴィーザーがトイレを使っているときに私は軽食店のレジまで金を崩してもらいに行った。

ブライトヴィーザーの母親ミレーユ・ステンゲルには何度か取材の依頼をしたが、直接話をすることはできなかった。ただ、ブライトヴィーザーによれば、息子が私と会うことを母親が暗黙のうちに認めたたったひとつの理由は、私が前に出した本のフランス語訳を彼女が読んでいたからだという。「気に入ったそうだよ」とブライトヴィーザーは私に言った。「母はジャーナリストにはとても用心深いんだけど、おたくにはいい印象を抱いたそうだ」。ステンゲルは息子に、私と話すことに反対はしない、と言ったという。

アンヌ＝カトリーヌ・クラインクラウスとも話ができなかった。そもそも私が送った三通の手紙に一度も返事をくれなかった。彼女を知る何人かの人が取材に応じてくれた。彼女の弁護士のエリック・ブラウンは、数時間ほどかなり打ち解けて話をし、ブライトヴィーザーがルーベンス・ハウスからパンフレットを盗んだときに私が同行していたことを聞くと、共犯で起訴されるかもしれませんよ、と冗談口調で言った。

ステンゲルの弁護士ラファエル・フレシャールは喜んで話をしてくれた。また、ブライトヴィーザーとアンヌ＝カトリーヌが犯罪をおこなった場所を再訪するためにスイスを旅行しているときに、スイスで彼の弁護を担当したジャン＝クロード・モリゾーとまる一日話し合うことができた。モリゾーは裁判の詳細を記した資料の入った箱を貸してくれることになった。

スイスの警察官で、ブライトヴィーザーの自白を引き出したロラン・マイヤーとアレクサンドル・フォン・デア・ミュールは、私が徹底したインタビューをおこなうことを承諾してくれた。フォン・デア・ミュールはアレクシス・フォレル美術館から手に入れた防犯ビデオの録画を見せてくれた。その美術館でブライトヴィーザーは、アンヌ＝カトリーヌが見張りをしているあいだに、三十個のネジを外して大皿を盗んだのだ。

ヴァンサン・ノスは、二〇〇五年に『身勝手なコレクション』と題するブライトヴィーザーについての本を出版したフランスの美術ジャーナリストだが、彼は私と何度か会って話し、寛大にも彼が集めた資料を見せてもいいと言ってくれた。また、『美術品泥棒の告白』のゴーストライターであるイヴ・ド・シャズルヌも同じように会って話し、ブライトヴィーザーの話を聞くために彼とともに十日間を過ごしたときがどのようなものだったのかを生き生きと語ってくれた。ブライトヴィーザーの本の担当編集者アンヌ・カリエールにも話を聞いた。

スイスの映画製作者ダニエル・シュヴァイツァーは、この事件のドキュメンタリー映画を作ろうとしていたがブライトヴィーザーにその企画を台無しにされた人物だが――ブライトヴィーザーの同意がなければ公開できなかった――その作品を快く送ってくれた。シュヴァイツァーのフィルムのなかには、ブライトヴィーザーとアンヌ＝カトリーヌが撮ったホームビデオも入っていた。ブライトヴィーザーのかつての友人クリスティアン・メイヒラーは、腹蔵なくいろいろなことを語り、一回の会話のなかでアインシュタイン、モーツァルト、ナポレオン、ゲーテ、ワーグナー、ヴィクトル・ユゴーなどに言及した。

翻訳家のローレンス・ブライは、フランス語とスイスの法制度を理解するために手を貸してくれ、ブライトヴィーザーの全裁判記録の写しや警察での調書、さらには私が記録したインタビューをすべて翻訳してくれた。ブライトヴィーザーは、スイスの心理療法士ミシェル・

シュミットが長い時間かけておこなった心理分析の報告書を私が見る許可を与えてくれた。

ニューヨーク市にあるジョン・ジェイ刑事司法大学の美術音楽科のエリン・トンプソン教授からは、芸術作品に触れたときに起きる美的感応と極度の興奮の力について話を聞いた。ブルックリン大学の心理学のナタリー・カシニク教授は、美術品泥棒の思考回路と動機について仮説を立てているが、特にブライトヴィーザーのケースについて詳しかった。ロンドンに本部のあるアート・ロス・レジスターの所長ジュリアン・ラドクリフは、盗まれた美術品を修復する方法についてのさまざまな質問に丁寧に答えてくれた。美術犯罪の長い歴史について知るためにノア・チャーニーとも話をした。彼は美術犯罪研究協会の設立者であり、「美術犯罪ジャーナル」の編集者である。調査をするうえで大いなる助けとなった『神秘の仔羊を盗む』『「モナ・リザ」の窃盗犯』『失われた美術作品』などの著者でもある。

「GQ」の編集長ジェフリー・ギャニオンは、私が二〇一九年三月号に書いたブライトヴィーザーの記事の担当者だ。マット・ブラウンは「GQ」の記事の事実確認をしてくれた。ライリー・ブラントンは本書の細部にいたるまで事実確認をしてくれた。固有名詞や事実を変更したところはない。ブライトヴィーザーやほかのだれかの要請で、本書の内容を変更したことはない。

調査を専門にしているジャンヌ・ハーパーは、美術品に取り憑かれたコレクターやスタンダール症候群、美術犯罪に適用する法律に関する何百もの資料、さらにそのほかの無数の記事を発掘してくれた。事実を確認するために、私は安い油絵の山を燃やしてみることもした。子どもたちにも参加させ、裏庭で油絵に火を点けた。熱せられた絵具の滴が地面に落ちていく様子を観察した。

本書を執筆するにあたり以下の書籍を参考にした。美術犯罪に関する貴重な書籍だ。エドワード・ドルニック『ムンクを追え！「叫び」奪還に賭けたロンドン警視庁美術特捜班の100日』（光文社）、スティーヴン・カークジャン『*Master Thieves*（大泥棒）』、アーリック・ボーザー『*The Gardner Heist*（ガードナー美術館の窃盗）』、エリン・L・トンプソン『どうしても欲しい！ 美術品蒐集家たちの執念とあやまちに関する研究』（河出書房新社）、トーマス・D・バズリー『*Crime of the Art World*（美術界の犯罪）』、アンソニー・M・アモレ、トム・マッシュバーグ『*Stealing Rembrandts*（レンブラントを盗む）』、リア・プライアー『*Crime and the Art Market*（犯罪と美術品マーケット）』、ミルトン・エステロー『*The Art Stealers*（美術品泥棒）』、ヒュー・マクリーヴ『*Rogues in the Gallery*（画廊のならず者たち）』、ジョン・E・コンクリン『*Art Crime*（美術犯罪）』、ボニー・バーナム『*The Art Crisis*（美術の危機）』、サイモン・フープト『「盗まれた世界の名画」美術館』（創元社）、アイヴァン・リンゼイ『*The History of Loot and Stolen Art from Antiquity Until the Present Day*（古代から現在までの略奪されたり盗まれたりした美術品の歴史）』、R・A・スコッティ『*Vanished Smile*（消えた微笑）』、ロバート・K・ウィットマン、ジョン・シフマン『FBI美術捜査官　奪われた名画を追え』（文芸社文庫）、ジョシュア・ニルマン『Hot Art（盗んだ美術品）』。

もっとも参考になった美学理論についての書籍は以下の通り。デイヴィッド・フリードバーグ『The Power of Images（イメージの力）』、ジョン・デューイ『経験としての芸術』（晃洋書房）、アンジャン・チャタージー『The Aesthetic Brain（美を愛する脳）』、ジェイムズ・エルキンズ『Pictures & Tears（絵画と涙）』、アーサー・P・シマムラ『Experiencing Art（芸術体験）』、エレン・ウィナー『How Art Works（芸術はどんな働き方をするか）』、デニス・ダットン『The Art Instinct（芸術への衝動）』、ヴェルナー・ミュンステルベルガー『An Unruly Passion（手に負えない情熱）』。

そのほかの魅力的な美術関連書籍。カール・オーヴェ・クナウスゴール『So Much Longing in So Little Space（とても狭い空間にとても大きな憧れ）』、レフ・トルストイ『芸術とはなにか』（角川文庫）、ウンベルト・エーコ『美の歴史』『醜の歴史』（ともに東洋書林）、ヒシャーム・マタール『A month in Siena（シエナでの一ヶ月）』、アラン・ド・ボトン、ジョン・アームストロング『美術は魂に語りかける』（河出書房新社）、クライヴ・ベル『Art（芸術）』、エドマンド・バーク『崇高と美の観念の起源』（みすず書房）、サラ・ソーントン『現代アートの舞台裏　5カ国6都市をめぐる7日間』（武田ランダムハウスジャパン）、トム・ウルフ『現代美術コテンパン』（晶文社）、オスカー・ワイルド『Intentions（意向集）』――このなかに一八九一年に書かれたエッセイ「The Critics as Artist（芸術家としての批評家）」が収められていて、本書のエピグラフはそこから引用した。

こうした書籍をすべて読んでも、ブライトヴィーザーとアンヌ＝カトリーヌと同じようなタイプの美術品泥棒を見つけることはできなかった。たいていの泥棒は金のために盗みをし、一度に一作品しか盗まない。このカップルは美術品泥棒のなかでは異端であるが、美しいものを求めるために長期間盗みを働く犯罪者集団は存在している。犯罪の分類によれば、ブライトヴィーザーとアンヌ＝カトリーヌは書籍泥棒のグループに属している。大量の本を盗む人たちの大半は常軌を逸した蒐集家で、しかもかなりの数にのぼるので、この手の泥棒たちを心理学者は特殊な分野として、「蔵書狂《ビブリオマニアック》」と呼んでいる。これがブライトヴィーザーと同じ種族だ。

ロシアのサンクトペテルブルクに拠点を持つドイツ人のカトリックの司祭アーロイス・ピヒラーは、冬用の上着の内側に袋を縫い付けて、一八六九年から七一年のあいだにロシア帝国公共図書館から四千冊以上の本を盗んだ。ミネソタの裕福な家庭の息子であるスティーヴン・ブランバーグは、アメリカとカナダの図書館から二万冊の本を奪った。ダンカン・ジェヴォンズは、イングランドのサフォーク州出身の七面鳥飼育場の労働者で、一九六〇年代から三十年間にわたって図書館から四万二千冊の本を家に持ち込んだ。一度にほんの数冊ずつ、ぼろぼろになった革のブリーフケースに隠して出たのだ。

ブライトヴィーザーの大好きな書籍泥棒は、同じアルザス出身のスタニスワス・ゴスだ。大判の宗教書に著しい情熱を傾けていた工学の教授で、中世の修道院内の鍵の掛かった図書館から、たった二年のあいだに一千巻を盗んだ。その錠は彼が盗みを働いているあいだに三回も交換されたがなんの効果もなかった。修道院の本をひっきりなしに読んでいるうちに、蝶番《ちょうつがい》の付けられた本棚の裏に忘れられた秘密の通路があり、それが隣のホテルの奥の部屋まで繋がっていることを知ったからだ。打ち捨てられたように見える書物、鳩の糞にまみれている書物を彼はスーツケースに詰め込み、観光客の集団に混じってホテルに出入りしていた。運んできた本はきれいにして自分のアパートメントに保管していた。警察が図書館に隠しカメラを設置してこの盗みが発覚し、彼は二〇〇二年に逮捕されたが保護観察に付されただけだった。スタニスワス・ゴスこそ、ステファヌ・ブライトヴィーザーが多大な敬意を払いながら話したただひとりの泥棒である。

(左下)『司教』ウスタシュ・ル・シュウール　1640／courtesy of Musees de Belfort.

(右下)『薬剤師』ウィレム・ファン・ミーリス　1720／©Pharmaziemuseum Universitat Basel, Schweiz.

---

p.5

(上)『村の入口』ピーテル・ジゼル　1650／©Musee de Valence／photograph by Eric Caillet.

(中央)キリストの生涯の一場面　1620／courtesy of the Art and History Museum of Fribourg.

(下)『大砲のある風景』アルブレヒト・デューラー　1518／Fletcher Fund, 1919／The Metropolitan Museum of Art.

---

p.6

(左)杯　I・D・クルートヴィック　1588／ImageStudio／©Royal Museum of Art & History, Brussels.

(右)杯　1602／ImageStudio／©Royal Museum of Art & History, Brussels.

---

p.7

(上)戦艦　1700／ImageStudio／©Royal Museum of Art & History, Brussels.

(左下)アルバレロ 1700／courtesy of Museum Aargau／Photograph by Romeo Arquint.

(右下)記念メダル　1845／courtesy of the History Museum of Lucerne, Switzerland.

---

p.8

(上)ライオンと仔羊　1650／courtesy of the Abbey of Moyenmoutier, France.

(中央左)杯　1590／ImageStudio／©Royal Museums of Art & History, Brussel.

(中央右)『三美神』ジェラール・ヴァン・オプスタル　1650／©Royal Museums of Art & History, Brussel./ photograph ©History and Art Collection／Alamy.

(下)『公園の音楽家と散策者』ルイーズ・ド・コールリ　1600／bequest of the Musee Benoit-De-Puydt.

口絵写真　出所・著作権者

p.1

『マドレーヌ・ド・フランス』コルネイユ・ド・リヨン　1536／© Bridgeman Images

p.2

(左上)『アダムとイヴ』ゲオルク・ペーテル　1627／RH.K. 015, Collection of the City of Antwerp, Rubens House.

(右上)『煙草容れ』ジャン・バティスト・イザベー　1805／Valais History Museum, MV 1444. © Musees contonaux du Valais, Sion. Photograph by Heinz Preising. Photo-colorization by Dana Keller.

(左下)『クレーフェのシビレ』ルーカス・クラナハ(子)　1540

(右下)静物画　ヤン・ファン・カッセル(父)　1676／© Chiristie's Images／Bridgeman Images.

p.3

(1段目)『猿たちの祭り』ダフィット・テニールス(子)　1630／© Musee Thomas Henry, Cherbourgen-Cotentin／courtesy of the Rubens House, Antwerp.

(2段目)『秋の寓話』元はヤン・ブリューゲル(父)作と考えられていたが、後に、ヒエロニムス・フランケン二世作に　1625／© musee d'Angers／Pierre David.

(3段目)『眠る羊飼い』フランソワ・ブーシェ　1750／© RMN-Grand Palais／Art Resource, N.Y.

(4段目)フリントロック式拳銃　バルト・ア・コルマール　1720／courtesy of La Societe d'histoire, "Les Amis de Thann".

p.4

(左上)『兵士と女性』ピーテル・コッデ　1640 /

inv.845.5.1 © Besancon, Musee des beaux-arts et d'archeologie. Photograph by C. Choffet.

(右上)『ピエタ』クリストフ・シュワルツ　1550／Chateau de Gruyeres／Photograph by J. Mulhauser

訳者あとがき

美術犯罪について書かれた作品はたくさんあっても、「事実は小説より奇なり」という言葉がこれほどまでに当てはまるものはほかにないだろう。本書は紛れもない事実を積み重ねて美術品泥棒を追ったノンフィクションだが、読後はよくできた犯罪小説を読んだような気持ちになる。

お洒落な服装で一般人観光客に紛れ込み、警備員のいなくなった隙を狙って、防犯カメラに映っていようとも、風のように作品を盗んでいくこの泥棒は、決して焦らず、冷静で、手際よく、しかも自分の好きな作品だけを確実に狙う。そして盗んだ作品を金に換えることはせず、自室にその美術品を飾り、美術館の展示室のように見立てる。

ステファヌ・ブライトヴィーザーは一九七一年にフランスのアルザス地方の裕福な家庭に生まれた。十代のときに両親が離婚し、その後盗みの世界へと足を踏み入れる。当初は万引きを繰り返している程度だったが、二十二歳のときに自分の好きな美術品に出会い、それを盗んだときのスリルと満足感から抜け出せなくなる。以来、二〇〇一年に逮捕されるまで、実に二百五十点以上もの美術品を盗んでいた。

この犯罪については、当時ニュースなどで取り上げられたので知っている方も多いかもしれないが、ブライトヴィーザーの生い立ちや窃盗方法、窃盗現場の詳細な地図、その後の人生のことなどを本人に取材してまとめたものは本書が初めてである。本来なら綿密に計画してもなかなか成功しない美術品窃盗を、白昼堂々と、人を傷つけることなく、しかも何年にもわたって続けてこられたのはなぜなのか。保管されていた二百五十点以上の名品はその後どうなったのか。著者のマイケル・フィンケルはブライトヴィーザーに会い、盗みの現場に赴き、裁判を傍聴し、捜査資料を読み込み、防犯ビデオを調べ、およそ十年をかけてこの謎に迫っていった。

ブライトヴィーザーのほかにも額縁職人、美術館関係者、美術ライター、心理学者、美術犯罪の捜査官など、この事件にかかわった人々から話を聞き、そこで得た資料を活用している。トルーマン・カポーティの『冷血』に始まるノンフィクション・ノベルの影響が窺える部分もあるが、著者は関心を抱いた相手に対して客観性を保とうと努め、対象にのめり込んではいない。「GQ」誌のインタビューで、著者はブライトヴィーザーを「イカロス」に喩《たと》え、美術犯罪者のなかで彼ほど高く自由に羽ばたいた者はいない、と語っている。しかし、高く飛べば飛ぶほど、翼の蠟《ろう》はたちまち溶けてその墜落も激しいものになる。またブライトヴィーザーについて、「美術泥棒以外で得意なものはなかった人生だ」とも述べている。

当時、ブライトヴィーザーを現代の怪盗ルパンと呼んだ新聞もあった。しかし、いくら彼が美術品コレクターを自称していても、れっきとした犯罪者である。怪盗でも義賊でもない。美術品にとっての牢獄である美術館から作品を解放するために盗んだという手前勝手な言い分を振りかざしていた食えない人物である。彼の武器は一本のスイス製のアーミー・ナイフと、見張り役を引き受けて窃盗に協力していた恋人アンヌ＝カトリーヌだった。このナイフを操る技術と恋人の直感を信じて、彼は盗みを続けていく。

本書で描かれるステファヌと恋人アンヌ＝カトリーヌの関係、彼と両親の関係には興味が尽きないが、ステファヌ自身は用意周到で孤独で、人とかかわることが苦手な我《わ》が儘《まま》な男だ。仕事は長く続かず、親のすねをかじり、美しいものしか愛せない。著者も心理療法士も、彼を「ただのガキだ」「未熟なのだ」と断じている。

彼がいくら美術品の目利きであり、盗みに際して人を傷つけなかったとはいえ、美術館から作品を盗むことは公共の利益を侵害する行為だ。本書のなかで、ある美術館の館長が指摘しているが、ブライトヴィーザーのように美術品を独占することは、一般の人々から美術や文化に触れる機会を奪うことである。自分だけがよければいいと考えるのは、それこそ未熟な人間の証だ。著者も彼のことを「公共の精神に巣くう癌《がん》である」と厳しく糾弾している。訳者はこの大胆な人物の行動を追いかけながら、その利己的な考え方にどうしてもなじめなかった。

そして、素晴らしい美術品がたどった、想像を絶する無惨な結末をどのように受け止めてよいのか、訳者はいまもよくわからない。初めて本書を読んだとき、ある場面で悲鳴に近い声が出た。美術品の価値を一顧だにしない人物の恐るべき行為について、最後まで理解できなかった。美術品愛好家にはなかなかに辛い読書になるかもしれない。

著者のマイケル・フィンケルは一九六九年生まれのアメリカ合衆国のジャーナリストで、「ナショナル・ジオグラフィック」「ローリング・ストーン」「GQ」「エスクワイア」「ヴァニティ・フェア」など多くの雑誌に寄稿している。

彼の第一作 *True Story: Murder, Memoir, Mea Culpa*（2005）は、妻と三人の子どもを殺したクリスチャン・ロンゴについて書かれたノンフィクションで、ブラッド・ピット製作総指揮、ジョナ・ヒル主演で『トゥルー・ストーリー』のタイトルで映画化された（日本では未公開）。殺人犯が逃亡中の一時期「マイケル・フィンケル」と名乗っていたことがきっかけで、著者が手紙を送り、取材をおこなった。フィンケルは「ニューヨーク・タイムズ」紙の新進気鋭の記者だったが、その評判を落とすような失態を演じ（詳細は後述）、二〇〇二年に「タイムズ」から解雇されていた。そんな折にロンゴが、フィンケルの名を騙《かた》っていたのは彼を尊敬していたからだと述べた。当初はロンゴの無実を信じていたフィンケルだが、裁判後に有罪を確信したという。ロンゴには自己愛性パーソナリティ障害という診断が下されている。

この作品は二〇〇六年度のエドガー賞犯罪実話部門にノミネートされた。

第二作 *The Stranger in the Woods: The Extraordinary Story of the Last True Hermit*（2017）〔邦題『ある世捨て人の物語』宇丹貴代実＝訳、河出書房新社、二〇一八〕は、メイン州の森の中で二十七年間ひとりで暮らしていた変わり者の男クリストファー・ナイトを追いかけた作品で、文明を拒んだ生き方が話題となった。ただ、この人物が生活のために他人の家に不法侵入して必需品を盗んでいたことがわかり、こちらも窃盗で逮捕された。逮捕後、フィンケルはナイトに手紙を出し、面会し、ナイトの人生をまとめた。

二〇一九年二月、フィンケルは「ＧＱ」誌に「世界最大の美術品泥棒の秘密」と題してブライトヴィーザーの窃盗に関する記事を発表した。それを土台にし、さらに詳しい内容としてまとめたものが三作目となる本書 *The Art Thief: A True Story of Love, Crime, and a Dangerous Obsession*（2023）である。二〇二三年六月に刊行されるや、「ワシントン・ポスト」「ニューヨーカー」「ニューヨーク・タイムズ」「フィナンシャル・タイムズ」「ウォールストリート・ジャーナル」「タイムズ」「ロンドン・レビュー・オブ・ブックス」「ＧＱ」「エスクァイア」など多数の紙誌やニュース番組がこぞって本書を取り上げ、この作品の凄まじい内容を紹介している。著者のフィンケルもテレビを含むさまざまなインタビューに応じ、この犯罪に興味を抱いた理由や、ブライトヴィーザーの人柄について語っている。ブライトヴィーザーが盗んだ作品の総額が二十億ドルを超していたことも、その後の美術品の行方のことも、この事件が改めて注目されることになった理由かもしれない。

フィンケルは二〇〇二年に「ニューヨーク・タイムズ」紙に、西アフリカのココア農園で働く子どもの奴隷を取材した記事を発表したが、複数の子どもからひとりの人物を捏造したことが発覚し、「ニューヨーク・タイムズ」を解雇されている。この件に関してフィンケルは、複数からひとりの奴隷の少年を作り上げたのは、真実を強調するためにおこなった、と述べて物議を醸した。二〇二三年六月、「ニューヨーカー」に本書の長大な書評を書いたキャサリン・シュルツはそのなかで彼の解雇について触れ、この経験がその後の彼の取材の姿勢に大きな影響を与えた、と述べている。ピュリッツァー賞受賞者のジャーナリストであるシュルツは、この挫折によってフィンケルは、人生から転落した犯罪者により深く共感を抱くようになったのではないかと綴っている。また、罪を犯した人物の人生が特殊だからといって、その人物の罪を許すべきなのか、と問い、フィンケルがブライトヴィーザーに共感するあまり、罪の意識のハードルが低くなっていることに警鐘を鳴らしている。

「ワシントン・ポスト」は、本書が「読者をブライトヴィーザーとアンヌ＝カトリーヌのふたりだけの世界に引きずり込みその中に閉じ込める」ような魅力的な内容であり、「引き込まれるが不穏な気持ちにさせられる読書体験だ」と評している。

二十年前に彼を解雇した「ニューヨーク・タイムズ」にも長い書評が載った。公平な視点に欠けているという本作へのいささか辛辣な文章が含まれていた。そのほかの紙誌は、この作品のスリリングで驚きに満ちた展開が魅力的であることや、派手なアクションも息を呑む盗み方もないが、その面白さは泥棒映画の傑作に比べても遜色ないことを述べている。フィンケルは、エンタテインメント性の強いノンフィクションを書こうとしているのかもしれない。いずれにしても本書は大きな反響を呼び、映画化権も売れたという。

本書の目次の前に彼が狙った美術館の場所を示す地図が載っているが、その場所の多さと範囲の広さ、盗品の点数は常軌を逸している。これがひとりの人間の所業であるとはにわかに信じがたい。口絵に彼の盗んだ作品のほんの一部が載っている。なかでも『マドレーヌ・ド・フランス』の美しさにはため息が出る。彼は本当に罪深いことをした。

この原稿のゲラをチェックしているとき、大英博物館が「収蔵品が『紛失、盗難、または損傷』されたとして、職員ひとりを解雇した」というBBCのニュースが飛び込んできた。行方が分からなくなっている収蔵品には、金の宝飾品、半貴石なども含まれているという。観光客が年間約六百万人も訪れる世界最大の博物館でも、いや、だからこそ、見えないところに大きな落とし穴があったのかもしれない。今後この盗難事件がどのような結末を迎えるのか、気が気ではなくなった。

なお、翻訳にあたり、フランス人ブライトヴィーザーの名はフランス語の発音に準じてステファヌにした。ほかのフランス人の名も同様である。
最後になるが、本書の出版に際して、亜紀書房の編集担当の高尾豪さん、友人の大野陽子さんに大変お世話になった。心から御礼を申し上げる。ありがとうございました。

古屋美登里

二〇二三年　八月十日

［著者］

マイケル・フィンケル

1969年生まれのアメリカ合衆国のジャーナリスト。「ナショナル・ジオグラフィック」「ローリング・ストーン」「GQ」「エスクワイア」「ヴァニティ・フェア」「ニューヨーク・タイムズ・マガジン」など多くの雑誌に寄稿している。これまでに発表したノンフィクションは*True Story: Murder, Memoir, Mea Culpa*（2005）、*The Stranger in the Woods: The Extraordinary Story of the Last True Hermit*（2017）［邦題『ある世捨て人の物語 誰にも知られず森で27年間暮らした男』宇丹貴代実＝訳（河出書房新社）2018］、そして本書*The Art Thief*の三作である。現在ユタ州と南フランスで、妻と子ども三人と暮らしている。

［訳者］

古屋美登里（ふるや・みどり）

翻訳家。著書に『雑な読書』、『楽な読書』（ともにシンコーミュージック）。訳書にエドワード・ケアリー『B:鉛筆と私の500日』、『呑み込まれた男』、アイアマンガー三部作『堆塵館』『穢れの町』『肺都』（以上東京創元社）、アフガニスタンの女性作家たち『わたしのペンは鳥の翼』（小学館）、デイヴィッド・マイケリス『スヌーピーの父 チャールズ・シュルツ伝』、カレン・チャン『わたしの香港』（ともに亜紀書房）、ジョディ・カンター他『その名を暴け #MeTooに火をつけたジャーナリストたちの闘い』（新潮文庫）など多数。

亜紀書房翻訳ノンフィクション・シリーズⅣ-14

美《び》術《じゅつ》泥《どろ》棒《ぼう》

2023年10月6日　第1版第1刷 発行

著　者　マイケル・フィンケル
訳　者　古屋美登里
発行者　株式会社亜紀書房
〒101-0051
東京都千代田区神田神保町1-32
TEL 03-5280-0261（代表）
TEL 03-5280-0269（編集）
https://www.akishobo.com

装　丁　金井久幸＋川添和香［TwoThree］
DTP　山口良二
印刷・製本　株式会社トライ https://www.try-sky.com

Printed in Japan　ISBN978-4-7505-1816-9